L'INFINI LIVRE

DU MÊME AUTEUR
AUX ÉDITIONS ZOÉ

Quand Mamie, Mini Zoé, 2011

CHEZ D'AUTRES ÉDITEURS

Rapport aux bêtes, Gallimard, 2002

Efina, Gallimard, 2009

NOËLLE REVAZ

L'INFINI LIVRE

*Les Éditions Zoé sont au bénéfice d'une convention
de subventionnement avec la Ville de Genève,
Département de la culture.*

*Nous remercions également le Conseil de la Culture
du Canton du Valais et la Fondation Leenaards
pour leur soutien à la publication de ce livre.*

*L'auteur remercie de leur soutien Pro Helvetia Fondation suisse
pour la culture, le Centre national du livre
et la Fondation Leenaards.*

www.editionszoe.ch
Maquette de couverture : Silvia Francia
Illustration : © Vladimir Godnik / Getty Images
ISBN 978-2-88182-925-3

1.

Le 3 janvier, le troisième livre de la romancière Jenna Fortuni était apparu. L'heure de l'apparition était difficile à déterminer, l'éditeur selon la coutume ayant tenu à garder le secret le plus longtemps qu'il était possible. Mais, d'un seul coup, au milieu de la matinée, le livre avait poussé par milliers dans les vitrines. Il fleurissait en pyramides aux caisses des supermarchés. Il était sur les présentoirs. Des grappes de livres s'amoncelaient aux rayons Loisirs. Il était vu dans les magasins et bien sûr on le découvrait en train d'orner les sacs d'un nombre croissant d'acheteurs dans les bus et les transports publics.

Le livre était identifiable sur-le-champ, grâce à sa couverture travaillée où dominaient les rouges. Sa surface offrait plusieurs niveaux de reliefs, sur lesquels le doigt pouvait voyager. L'un de ces reliefs avait l'aspect de l'étain ou du plomb. Le fond réel de la couverture était lisse. Dans certains creux, vers la droite, des rouges allaient sur l'orange. Dans d'autres creux, des mini lacs de couleur argent lançaient de petits miroirs où l'on pouvait voir ses yeux. Le motif le plus certain était le serpent à tête carrée s'avançant à l'horizontale aux deux tiers de la couverture. Sa tête était schématique, mais ce n'était pas dérangeant, car de la sorte le serpent faisait clairement référence au serpent aztèque ou inca. Sur son dos courait une crête aux créneaux rectangulaires, inégaux, comme de la main d'un enfant. Certains critiques parlaient déjà du Serpent de la Connaissance, d'autres, de l'Arbre de Vie. Le nom de l'auteure était sensible en relief, à côté du nom de l'éditeur. Ces deux noms cependant ne pouvaient pas être confondus, si grandes étant l'habitude et la connaissance du marché que les acheteurs d'instinct savaient les départager.

Pivoté d'un quart de cercle, le livre présentait son dos. Le dos constituait une transition entre l'avant et l'arrière. Lui aussi était ouvragé, mais d'une façon plus modeste qui ne laissait pas de doute sur la surface à admirer. Quatre motifs stylisés, de haut en bas, s'y succédaient. Du dos, on pouvait poursuivre et arriver à l'arrière du livre, la quatrième de couverture. Elle était dorée, enluminée de blanc, vert, pourpre, vermillon. Elle portait les mots : Captivation, Confondant, Livre, Sublime, Beau, dont on sentait immédiatement qu'ils allaient faire couler beaucoup de salive. Les noms de plusieurs grands animateurs de télévision y étaient gravés. Ces textes étaient placés sur le haut. Les deux tiers au-dessous étaient vides. Une matière dorée brillante, sans toutefois aveugler, recouvrait cette surface.

La tranche du livre, enfin, était compacte et serrée. Le livre devait sûrement comporter de nombreuses pages. Son signet aussi était doré. Il faisait une fourche qui dépassait de la tranche, d'environ quatre centimètres. La couleur de ce signet évoluait à chaque tirage. La romancière à l'origine de ce beau livre était l'auteure :

Jenna Fortuni

Cette romancière avait déjà été en grande partie découverte par la critique. Dans le passé, elle avait bien vendu, et on pouvait déjà s'attendre à encore plus de succès.

2.

Le livre à son apparition était fêté. Le vernissage était transmis en direct. L'événement avait lieu au musée de la Reliure, dont il fallait gravir les vieux et charmants petits escaliers. Une des salles principales était réservée pour la fête. Elle bourdonnait comme une ruche. La romancière Jenna Fortuni, radieuse, déambulait, un verre de crémant à la main, au centre d'un panel d'amis. Les caméras faisaient des zooms. Elles rendaient compte du succès.

La couverture du livre de Jenna Fortuni était projetée artistement sur les quatre murs. Le livre était aussi présent sur les tables, en centaines d'exemplaires disséminés parmi les feuilletés du buffet. Les amis et admirateurs venus en nombre le saisissaient dans leurs mains. Ils y laissaient des empreintes qui étaient prestement essuyées par des assistantes engagées en extra.

Un des invités, un monsieur à lunettes d'une soixantaine d'années, se mettait soudain tout haut à expliquer qu'un objet aussi répandu qu'un livre était en soi un objet magique. Étant un, et étant à la fois des milliers. Pouvant à la fois être unique et à la fois exister dans les magasins du monde entier. Et simultanément s'il vous plaît. Un livre possédait le don de se multiplier. Il possédait le don d'ubiquité, si souvent désiré par les humains. Le monsieur concluait sur la question : le vœu secret des humains n'était-il pas d'être livres ?

La foule d'un seul mouvement applaudissait. L'homme faisait quelques pas pour s'écarter et on réalisait peu à peu que ce qui avait été pris pour une allocution spontanée était le discours officiel récité par un comédien.

Jenna ne pouvait rien écouter. Elle n'était pas non plus en mesure de répondre aux questions de ses fidèles acheteurs. Il lui était demandé de rester debout devant un objectif et elle intervenait en direct dans une émission au Canada. Les invités derrière elle constituaient un décor parfait. Le sujet de la discussion était déterminé en direct. Jenna ce soir-là n'avait pas de chance, il s'agissait de parler des castors sauvages, et Jenna n'y connaissait rien. Et elle ne pouvait pas consulter son écran : elle l'avait oublié dans son sac. Jenna parlait du sirop d'érable, espérant que les mots passeraient inaperçus derrière son visage.

L'émission s'achevait. Une assistante reprenait son micro cravate et Jenna Fortuni était emmenée en voiture vers un studio de télévision où elle rejoignait une émission qui avait déjà commencé. L'entrée en scène de Jenna avait l'air improvisée. Les animateurs l'accueillaient avec des exclamations, en faisant semblant de la gronder. Elle était toutefois remerciée pour sa présence.

Jenna s'installait à la place qu'on lui avait indiquée et examinait les invités. Le plateau de cette émission réunissait des écrivains et plusieurs stars. Comme il se devait, presque toutes étaient des stars piégées. Jenna Fortuni se disait qu'il devenait vraiment rare de rencontrer une star qui n'avait pas été piégée. Et quoi de plus normal ? Être piégée, pour une star, était la consécration : la certitude d'en être une.

Étonnamment, une des stars présentes ne l'avait pourtant pas encore été. Il s'agissait d'un très jeune acteur à la peau blanche. Les deux animateurs étaient particulièrement assidus et empressés à son égard. Ils lui demandaient comment il pouvait se faire que l'acteur n'ait jamais été piégé. Ce jeune homme apparaissait depuis presque deux ans dans le circuit. Il était souvent vu sur les plateaux et pourtant personne n'avait pu dénicher la moindre preuve ou image qu'il ait pu tomber dans un piège. L'animatrice demandait au jeune acteur s'il n'essayait pas d'être une star sans en payer le vrai prix. L'autre animateur prédisait l'avenir : le jeune et joli acteur ne s'en tirerait pas comme cela. La totalité des stars était piégée, même les plus mythiques. Il y en avait même qu'on avait piégées de manière posthume en ressortant des clichés de jeunesse où une bonne partie de leur être était exposée, et évidemment sous le mauvais angle.

Jenna ne participait pas à ces échanges. En tant que romancière, elle n'avait pas à se faire de souci. Les romancières n'étaient pas piégées. Jenna estimait que c'était en raison des livres, qui constituaient des manières de paravents. Les acteurs en revanche se trouvaient tout de suite corps et visages en première ligne. Bien sûr, ces derniers temps un ou deux romanciers avaient aussi été piégés. Les confusions étaient inévitables, animateurs et téléspectateurs étant prompts à tout mélanger, et il pouvait se faire qu'un acteur soit pris pour un artiste, un artiste pour un écrivain ou un écrivain pour un spécialiste. Dans le fond ça ne changeait pas grand-chose. Il s'agissait toujours de gens aimables et bien habillés, dont tout le monde connaissait le visage, le nom, la blessure secrète et la destination de vacances préférée.

À ce moment de ses pensées, Jenna était interpellée par l'animateur qui lui posait la question : quand apparaîtrait son prochain livre ? Jenna connaissait la réponse : son prochain livre était programmé dix-huit mois plus tard. L'animateur insistait : pouvait-on connaître aussi l'heure ? Jenna disait que comme d'habitude cela devait demeurer confidentiel. L'animatrice entrant en jeu se permettait d'insister : Jenna pouvait-elle en faire la confidence aux fidèles téléspectateurs ? Jenna ennuyée s'inclinait : elle révélait que le livre serait publié au milieu de la matinée, à une minute finissant par 15. Les animateurs exultants concluaient, et le générique de fin commençait à se dérouler.

3.

Du succès étant pressenti, une certaine quantité d'émissions était consacrée au troisième livre de Jenna Fortuni. Alors que le livre était brandi dans les mains des animateurs ou en exposition sur les tables basses des plateaux et que Jenna avait à cœur de répondre aux questions même les plus triviales, son premier et son deuxième livres étaient projetés, agrandis cinq fois, en arrière-plan, dans une tonalité de fin d'automne. Ils étaient également réussis.

Le premier livre de Jenna présentait une surface austère, capitonnée de velours de satin, avec de fines petites perles. Le deuxième, tout dans les tons orangés, montrait un certain cousinage avec le troisième. Voilà pourquoi les commentateurs n'avaient pas été surpris quand avait été annoncé le troisième livre et quand il était apparu comme des champignons dans les vitrines.

La romancière Jenna Fortuni fréquentait les plateaux. Lorsqu'elle se sentait fatiguée, elle s'isolait simplement et disparaissait dans son appartement, où il se disait dans les gazettes qu'elle se relaxait en compagnie de son mari. Le lendemain, ou quelques heures plus tard, il était possible de l'apercevoir de nouveau dans les magazines.

Dans le fin fond de son cœur, Jenna aurait bien aimé que les animateurs de télévision lui posent parfois d'autres questions. Elle était d'accord d'être présente et de faire voir à tous son visage, sur lequel l'image du livre était projetée de temps en temps, en guise de blush. Mais elle sentait parfois comme l'envie de bouleverser l'émission. Par exemple, de prendre elle-même la parole et dire peut-être des choses ne figurant pas sur le livre. Les animateurs étaient patients. Ils ne s'offusquaient pas quand Jenna ne trouvait pas la réponse. Ils reposaient une deuxième fois la question. Ne regardant aucune autre émission, ils étaient télévisuellement vierges et libres.

Ce que Jenna préférait chez les animateurs, c'était leur capacité à avaler tout et encore une fois tout. Leur front arborait toujours l'expression qui disait : profondément concerné. Ce que Jenna aimait moins chez les animateurs : ils n'étaient jamais satisfaits. Ils en voulaient toujours plus. Ils étaient prêts à vous saigner à blanc. On n'arrivait jamais nulle part quand on se mettait à répondre à un animateur de télévision.

Dans les discussions avec son mari, Jenna évoquait le moment où elle trouverait une réponse définitive. Elle ne savait pas ce qui se passerait le jour où elle la formulerait. Sûrement un silence sidéral. Sans doute l'animateur tomberait-il de sa chaise ou quelque chose dans le genre. Le régisseur serait foudroyé. En tous les cas, disait Jenna à son mari, cette réponse n'avait pas encore été prononcée. Dans le cas contraire, les émissions existeraient-elles ?

Le mari de Jenna hochait la tête. Il était d'accord avec elle. Il était lui-même un écrivain à succès. Il avait publié des livres. À présent, ce n'était plus nécessaire. Le monde lui léchait la paume de la main et il pouvait poser le pied à la seconde où il le désirait sur n'importe quel plateau de télévision. Son nom ne pouvait être prononcé sans provoquer un effet. Le mari de Jenna se nommait : Éden Fels.

L'appartement de Jenna et de son mari était entièrement recouvert de couleur crème. Le long de l'escalier intérieur, qui n'avait pas de rampe, de petits cadres dorés accompagnaient au mur la montée des marches. La cuisine était en plâtre peint. Les sièges en osier du jardin d'hiver portaient de petits coussins, dont un turquoise. Les fenêtres étaient voilées de stores unis, laissant filtrer dans l'appartement une belle lumière japonaise. La salle de bains était un vaste havre de lumière. Le lit de la chambre à coucher conjugale, à l'instar de celui de la chambre d'amis, semblait n'avoir servi aucune nuit. Le couvre-lit était bien lissé. Devant lui on perdait ses forces à la pensée du travail qui devait forcément être fourni à chaque coucher et lever pour défaire ou recomposer l'arrangement délicat de coussins, bouquets et tissus, qui y était disposé. Le sol de l'appartement n'était pas bien observable. Le reportage se concluait sur une comparaison entre les tomettes de tuf non traité, plus pratiques et moins salissantes, et la moquette d'alpaga qui était partout à la mode.

Le deuxième étage de l'appartement de Jenna et de son mari n'était pas montré dans les reportages. À ce point-là de la visite il était bien sûr mentionné, mais comme un endroit inaccessible. Il était toujours précisé que c'était à cet étage-là que se trouvaient les bureaux conjoints des deux écrivains. Il était aussi expliqué que les maîtres des lieux souhaitaient se réserver une petite part de ce qui était nommé : leur intimité.

La plupart des animateurs et des téléspectateurs respectaient ce choix. Cette réserve n'était pas gravissime, dans la mesure où il était certain qu'à un moment ou un autre un appareil ou une caméra finiraient bien par réussir à y glisser le nez.

4.

Combien pèse votre livre? demandait une vieille femme, dont tout le monde savait qu'elle n'était pas intelligente, pour la bonne raison qu'elle était une actrice. Elle avait un bec-de-lièvre en plastique. L'animateur diverti se tournait vers le public et avec un clin d'œil répétait: combien pèse le nouveau livre de Jenna Fortuni? Le public applaudissait et scandait en chœur: 1850 grammes. Ce qui était peu ou prou le poids d'un prématuré de six mois.

Jenna donnait des renseignements sur son livre. En plus de la vieille actrice, elle était invitée en compagnie de deux écrivains masculins. Jenna prévoyait avec déplaisir le moment où l'animateur en viendrait inéluctablement à lui poser des questions sur les ouvrages de ses deux collègues. C'était ainsi, aucun auteur n'y échappait et pourtant ni les uns ni les autres ne trouvaient jamais grand commentaire à faire sur les autres livres. En tout cas Jenna n'avait jamais rencontré un écrivain pour qui la chose ait semblé facile. Ce n'était pas uniquement par manque d'intérêt, c'était aussi parce que l'exercice était délicat. Trouver plus qu'une excellente phrase relevait vraiment du grand art.

Heureusement les animateurs étaient rodés et ils

excellaient dans cette pratique. Une de leurs figures préférées était la comparaison. Les animateurs estimaient qu'aucun auteur ne pouvait être mis à l'écart, c'est pourquoi ils engageaient toute leur vigueur dans la réduction des différences. Ils aplanissaient les particularités, jusqu'à faire se ressembler des livres n'ayant d'abord rien en commun. Cela devait servir avant tout l'audience, les téléspectateurs pouvant sentir une menace dans une trop grande diversité.

L'animateur demandait à Jenna son sentiment sur le livre de son voisin de droite. Ce voisin était connu, mais Jenna ne s'était jamais intéressée à ses œuvres. Jenna disait que le nouveau livre de son voisin, qui était apparu le matin, était sobre sans être simple. L'animateur, fidèle au principe de comparaison, insistait : Jenna ne pensait-elle pas qu'elle aurait pu elle aussi publier le même livre ? Il indiquait ses caractéristiques : Jenna ne pensait-elle pas qu'un livre ayant de telles caractéristiques aurait pu naître, dans un même jaillissement, de son esprit ? Jenna s'en sortait en faisant avec le menton un signe qui pouvait être un oui et un non. Elle disait qu'elle y réfléchirait.

L'animateur appelait à la rescousse le troisième écrivain : de son côté, aurait-il pu créer ce même livre ? Cet écrivain, qui était plus coopératif, répondait qu'il était d'accord. Il y avait d'ailleurs presque pensé, ce genre de livre simple et sobre étant tout à fait ce qu'il aimait. Il ajoutait qu'il sentait une profonde parenté entre lui-même et le premier écrivain, dont le livre, encore une fois, était tout à fait le genre d'œuvre que lui-même aurait aimé réaliser. Le premier écrivain hochait la tête. Son livre était simple et sobre et lui-même apercevait une certaine parenté avec la création de son voisin. Les images de leurs deux livres à ce moment étaient projetées en arrière-plan : sur la couverture grise du premier n'étaient visibles que les noms de l'écrivain et, en gros, de son éditeur. Ce livre faisait dans les 15 centimètres. Le second livre était vert eau. Les noms étaient ciselés, mais on n'y voyait pas non plus d'illustration. Ce livre était sensiblement plus épais. Son dos mesurait environ 5 ou 6 centimètres. Les projections des deux couvertures, superposées, se fondaient, jusqu'à ne former plus qu'un livre.

L'animateur n'était pas encore satisfait : le livre de Jenna Fortuni restait à part, et ce n'était pas agréable pour les téléspectateurs. Il revenait à la charge : quelles ressemblances Jenna pouvait-elle se trouver avec les livres de ses deux collègues ? Jenna, qui était d'humeur récalcitrante, et sans doute aussi fatiguée, avançait une mauvaise réponse. Elle disait qu'elle n'en voyait pas, ce qui engageait l'émission sur un mauvais sentier. L'animateur souriant aux anges lui coupait la parole et faisait rebondir un des deux écrivains, qui disait que le livre de Jenna était exceptionnel. Et sous certains aspects, bien précis, il aurait pu être rattaché au sien.

L'animateur reprenait la parole : que pensait Jenna de cette analyse ? N'était-il pas flatteur que son œuvre soit rattachable à celle d'un grand écrivain, dont l'image se maintenait sur les écrans et ce, sur plus de huit cent mille pages ?

Jenna devait en convenir : la comparaison était flatteuse. Elle sentait qu'elle en retirait déjà de l'intérêt. Cependant, si l'animateur le permettait, Jenna devait avouer qu'elle ne voyait pas bien les aspects où les deux livres pouvaient se ressembler. Son livre était ouvragé, alors que le livre du premier écrivain était simple et sobre. Le premier écrivain se récriait : sans doute son livre était simple et sobre, mais l'analogie de leurs formats faisait qu'on pouvait aisément les comparer. Et une fois entrouverts, on pouvait même les confondre.

L'animateur reprenait la main. Il était hasardeux et glissant de parler d'entrouvrir des livres, et spécialement en direct. La vieille actrice, dans son coin, était passée à la question : que pensait-elle des trois livres ? L'actrice disait que tous les trois étaient également beaux et bons. L'animateur voulait le vérifier : en partance sur une île déserte, lequel de ces trois livres l'actrice emporterait-elle ? La vieille actrice hésitait, trancher semblait impossible. Tout dépendrait finalement de la taille de son sac à main. Si ce dernier était petit, alors mieux valait emporter le livre simple et sobre. S'il était moyen, celui de Jenna ou du troisième écrivain y entrerait aussi. L'animateur suggérait alors comme solution à l'actrice d'emporter une valise, de façon à pouvoir y introduire les trois livres.

L'actrice ajoutait une phrase, mais l'animateur lui coupant la parole la priait de raconter encore une fois l'anecdote du tournage de ce chef-d'œuvre du septième art dont elle avait tenu cinquante ou soixante ans plus tôt le rôle-titre. Ses vingt-sept films suivants étaient mentionnés, dans le but de préciser qu'aucun de tous ceux-ci n'avait compté en regard du rôle tenu par l'actrice à vingt-deux ans dans le premier film. L'animateur enfonçant le clou rappelait à la vieille femme qu'elle avait été sublime et qu'il ne devait pas être facile d'avoir été l'actrice d'un seul rôle. L'actrice figée en convenait, mais ajoutait que tous ses souvenirs étaient bons et qu'elle ne pouvait pas se plaindre et que la vie était bénissable. L'animateur concluait en donnant rendez-vous aux téléspectateurs pour la prochaine émission, laquelle allait commencer quelques instants plus tard, après le générique.

5.

Un jeune animateur, particulièrement dépourvu d'expérience, formulait une question : en page 3 du livre, qu'y avait-il exactement ?

Jenna embarrassée baissait les yeux sur ses mains. Il était déjà très gênant de s'entendre mentionner le numéro d'une page. Mais parler de l'intérieur de son livre en sa présence était carrément indécent.

L'animateur était pressant. Heureusement un vieil écrivain au regard brillant, dont la rumeur soupçonnait les livres d'être des cartons, volait au secours de Jenna. Tout sourire, il expliquait que mentionner une page d'un livre ne servait à rien. Il fallait considérer son ensemble. Et, pour sa part, le vieil écrivain trouvait que le livre de la romancière Jenna Fortuni était tout ce qu'il y avait de plus réussi.

Le livre de Jenna, à ce moment idéal, était projeté en arrière-plan. Sa couverture était toujours du plus bel effet, bien que certains acheteurs aient déjà commencé à s'y habituer, comme le faisaient savoir les nombreux messages.

Les autres écrivains présents, mal à l'aise, se raclaient la gorge en tapotant ou réalignant les livres qui se trouvaient fidèlement en place à leur côté. Les écrivains se montraient toujours accompagnés de leur dernier livre, en général posé sur la table basse. Les tables étaient toujours basses, afin que les jambes puissent être décroisées et croisées et que les moitiés inférieures puissent être aperçues de temps à autre de façon rapide.

Un des écrivains, sans explications, était venu sans son livre. Il avait dû subir une mésaventure. Il avait l'air mal à son aise et nerveux, et Jenna avait l'impression que son corps était plus étroit que de coutume. Sans livre, un écrivain n'était pas beaucoup. Hors la présence de son livre, un écrivain se défaisait et perdait la majeure partie de sa substance. Mais sans écrivain aussi un livre n'était plus grand-chose. Il devenait un bloc de pages glissant en direction de la broyeuse. Jenna ne l'ignorait pas : qu'un écrivain en vienne à mourir, et c'étaient des dizaines de livres qui se retrouvaient sur-le-champ orphelinement inutilisables ou, au mieux, calés sous des pieds de tables ou, encore un petit peu mieux, coincés jusqu'à ce qu'ils blanchissent dans des décors d'émissions.

Il ne fallait pas pour autant penser que le livre était important. Cette erreur était ridicule. Elle pouvait être commise par quelques animateurs tenants de la vieille école ou par un critique malpoli mais, grosso modo, la plupart des gens du circuit savaient de quoi il était question : le livre était une estrade. Le livre était un simple escabeau sur lequel se poser le temps de répondre à des questions étiquetées « pour les écrivains ». À partir de là commençaient les choses. Le livre était le passeport grâce auquel on pouvait soutenir des entretiens et fréquenter les émissions en répondant à des questions de tout genre, comme : le temps, la durée, la circonstance, le moment, le lieu de la création ; la situation, la position, la condition, la modalité, la conjoncture de la création ; la particularité, la disposition, les instruments, les surprises de la création ; les modèles, les événements, les anecdotes de la création. Ainsi qu'à toutes sortes d'autres questions permettant de garder l'antenne. La question suprême restant quand même bien sûr la question du message. Mais à tout écrivain cette question n'était pas donnée.

L'émission suivait son chemin, et l'animateur débutant mettait sur le gril l'écrivain venu sans son livre. L'un et l'autre étaient en train de perdre pied. Le livre n'était pas présent et quelle difficulté d'avancer sans son appui dans le vide ! L'animateur faisait des efforts pour essayer d'être convaincu que l'être assis devant lui était bel et bien un écrivain. Néanmoins, on voyait son regard devenir sceptique et se raccrocher le plus possible aux livres qui étaient présents.

L'écrivain quant à lui semblait malheureux. Il expliquait que son livre était resté à la maison mais que cela n'importait pas, parce que tout était dans sa tête. Ce qui était évidemment faux. Le doute se répandait comme la peste. Un des écrivains invités, se dévouant pour les autres, se décidait à formuler l'interrogation : un écrivain sans livre était-il approprié sur un plateau ? Comment être sûr de ce qu'on voyait ? L'animateur débutant se confondait en excuses.

Le plateau retenait son souffle. Vraiment, qu'il était dangereux de se présenter sans son livre. Un oubli de ce genre, et c'était toute une carrière qui était fichue. Jenna en avait des frissons. Elle se rappelait les principes de base : avoir son livre dans les doigts ou à proximité de la main. Manier fréquemment son livre, de sorte que les caméras embrassent la main et le livre en même temps. Sourire régulièrement. Faire allusion à l'existence de son œuvre. Nom d'un nom, c'était astreignant. À des instants brefs comme l'éclair, Jenna avait aussi envie de se montrer sans aucun livre. Simplement pour sentir ce que ça faisait. Mais lorsqu'elle voyait de quelle façon l'animateur et même les autres invités s'acharnaient sur le pauvre écrivain, elle comprenait combien il pouvait être périlleux de se présenter toute seule. Le livre signalait l'écrivain. Loin de lui il n'y avait rien de sûr, et c'était bien pour cela que cet objet régulièrement était projeté sur les plateaux, sur tous les supports possibles.

Il y avait naturellement des récalcitrants : des écrivains bien sûr avaient essayé, fallait-il qu'ils soient prétentieux, d'obtenir des animateurs qu'ils discutent de leur livre sans que les auteurs eux-mêmes soient présents. En gros, le discours que ces écrivains avaient tenu était : nous ne venons pas chez vous, mais vous avez tout de même le droit de parler de nos livres.

Quel culot tout de même chez ces écrivains ! Croire que l'on allait se donner la peine de montrer et présenter leurs livres sans qu'ils soient visibles ! Et que demanderaient-ils encore après cela ? Que l'on parle de leur personne en leur absence ? Que l'on ouvre des tribunes de discussion sur eux sans qu'ils y travaillent ? Que l'on conserve leurs livres ? Qu'on les dissèque ?

Ce genre d'écrivains était proscrit. Ils n'existaient pas pour les plateaux. De toute manière leur volume de vente était voisin de zéro.

6.

Une écrivaine était connue pour ne jamais se déplacer sans ses livres, éditions de poche et traductions en vingt langues comprises. Elle les étalait à ses pieds sur les plateaux. Cette ampleur avait fait son renom, en même temps qu'elle lui avait donné son poids et sa consistance. Les animateurs, de prime abord peu convaincus par ses couvertures bariolées, avaient été peu à peu conquis par cet étalage.

L'écrivaine ne pouvait plus être invitée sans ses livres. Cela était un fardeau, car elle en avait deux cent trente. Il était arrivé une fois que, lors d'une émission, elle avait cru pouvoir se présenter sans eux. L'émission avait été un fiasco. Les téléspectateurs ne s'y reconnaissaient plus et les animateurs s'étaient retrouvés rapidement à court de questions. Ils étaient restés presque muets, et la conséquence en avait été que deux actrices avaient monopolisé l'attention en racontant comment elles faisaient pour faire croire qu'elles s'achetaient chaque jour une robe.

Le sujet n'ayant pas été jugé suffisamment littéraire, la direction avait licencié deux des quatre animateurs. L'écrivaine en avait retiré la réputation de coupeuse de têtes. Elle n'était toutefois plus réapparue sans ses livres.

La question des robes pouvait sembler futile, mais elle n'avait pourtant rien d'insignifiant. Grâce au renouvellement des images, les actrices pouvaient donner l'illusion qu'elles étaient présentes sur l'entier du globe à la même minute. Leurs robes matérialisaient la suite des jours. Elles marquaient le passage du temps, qui sans elles serait resté une sorte de marshmallow étalé sur tous les écrans. Un écrivain trublion n'avait-il pas lancé sur un plateau que les actrices étaient aux écrans ce que les saintes étaient au calendrier ? Il était vrai que cet écrivain n'avait jamais laissé derrière lui une forte impression. Ses livres eux-mêmes semblaient des épaves.

En son état d'écrivaine, Jenna Fortuni pouvait se permettre de porter deux ou trois fois la même chemise à l'écran. Après quoi la chemise semblait se faner d'elle-même et devenir désuète. Il en allait tout autrement pour les actrices qui la côtoyaient et qui étaient en quelque sorte ses collègues. Jenna ne savait pas ce qu'elles faisaient des vieilles paires de chaussures qui n'avaient qu'un jour. Peut-être les jetaient-elles aux ordures ou peut-être les donnaient-elles à leurs petites sœurs. Ou bien elles les portaient chez elles en faisant la cuisine. Quel crève-cœur ce devait être d'abandonner aussi rapidement les nouvelles tenues ! Jenna se félicitait souvent de n'être pas devenue une actrice. A priori rien ne l'aurait empêchée de le faire, mais elle avait été avisée de ne pas avoir pris ce chemin.

7.

En soi, il n'était en rien difficile de parler de livres. C'était à la portée de n'importe qui. Suffisant était de posséder un répertoire d'au moins un auteur très connu, qu'il n'était alors point besoin d'expliciter, comme Wu-Li-Ha-Lem ou Annie Bariole, auquel il était ensuite possible de comparer tous les livres. Idem pour les personnages mythiques, qui fournissaient de leur côté une matière si abondante qu'on pouvait à peu près piocher dedans au petit bonheur. Les noms du répertoire revenant le plus souvent étaient : A) Lorito A2) Le Prince de Moché Croûto.

De toute manière, citer un nom sur un plateau revenait à prendre l'avantage. Quiconque réussissait à placer sa citation en premier pouvait observer ses voisins se ratatiner sur leurs sièges. Jenna avait tenté le coup avec le nom de jeune fille de sa mère. Il avait agi comme un poignard. Les stars et artistes présents s'étaient recroquevillés en secouant le menton. Un seul d'entre eux s'était dressé comme un coq et, malgré les caméras, avait osé la question directe : à qui Jenna Fortuni faisait-elle donc allusion ? Jenna avait répondu qu'il s'agissait d'une poétesse peu connue d'une région du nord. Par la suite et à l'issue de cette émission, elle était devenue amie avec ce jeune homme.

Le jeune homme en question se nommait Larsen Frol. Il était invité dans les studios, précisément en raison de cette attitude qui consistait à tout remettre en cause. Cette attitude était crainte, parce qu'elle était dangereuse et pouvait faire basculer les émissions dans le précipice. Mais elle constituait dans le même temps du précieux pain bénit pour un animateur n'ayant, par obligation, pas de sens critique.

Il y avait des passages dangereux dans la discussion sur les livres: dangereuse était la situation quand un livre était montré à côté de son créateur, sans qu'aucune comparaison ne semble possible. Cela voulait dire que personne ne savait à quoi ou à quelle sorte de chose on avait affaire, et ce terrible inconnu faisait planer une menace. Les caméras se retournaient presque et le régisseur dans sa cabine était presque vu en train de se ronger les ongles.

C'était pour cette raison que, lorsque aucune comparaison spontanée ne semblait possible, les invités du plateau montaient tous ensemble aux barricades et unissaient leurs forces aux côtés de l'animateur pour trouver un point de repère. Chacun d'eux avançait un nom, auquel ensuite il était tenté de raccrocher le livre flottant.

Les livres de Jenna Fortuni avaient vécu la comparaison des dizaines de fois. À leur apparition, chacun des trois avait été ramené à un autre livre, qui lui-même s'était vu également rattaché à un autre livre. Les livres de Jenna en avaient été à chaque émission un peu écrasés. Mais il était évident qu'il était ainsi plus facile et rassurant pour tout le monde de s'y retrouver.

La personne de Jenna aussi était prêtée à la comparaison. Depuis la sortie de son premier livre, la romancière Jenna Fortuni avait l'habitude de découvrir son nom automatiquement accolé à celui d'une autre jeune romancière de talent. Leurs noms se trouvaient pour ainsi dire jumelés.

À cela, il y avait beaucoup de raisons : premièrement, l'autre jeune romancière de talent se nommait Joanna Fortaggi. Leurs patronymes étant proches, la comparaison semblait légitime. Deuxièmement, les romancières Jenna Fortuni et Joanna Fortaggi faisaient apparaître des livres ayant sensiblement les mêmes couleurs et formats. Cela également était troublant. Enfin et troisièmement, elles étaient toutes les deux femmes et brunes, avaient à cœur de présenter des livres beaux et pratiques et suivaient à peu de chose près le même parcours dans les émissions.

Ces comparaisons additionnées faisaient un joli total. Jenna Fortuni s'était quelquefois posé la question de savoir si dans leur cas publier un livre chacune était encore nécessaire. Elle avait envisagé la solution de s'associer à Joanna Fortaggi. De cette manière, il y aurait eu moins de confusion. Les animateurs se seraient sentis moins perturbés de devoir s'en sortir avec deux jeunes romancières de talent, publiant le même livre et apparaissant dans la même émission.

Le seul problème aux yeux de Jenna était que, pour une question de manque de sympathie, Joanna Fortaggi et elle-même n'avaient jamais réussi à se parler ni à échanger leurs adresses.

8.

La vie de la romancière Jenna Fortuni ne se passait pas que sur les plateaux. Jenna en descendait pour rejoindre, de nuit ou de jour, son mari, lequel était devenu depuis longtemps beaucoup moins visible.

Du mari de Jenna il était dit qu'il préparait quelque chose, sans que puisse être su clairement ce qu'il en était. Mais lorsque l'intervalle séparant deux publications, s'écartant de l'ordinaire, s'allongeait, devenait deux ans puis des ans et prenait une qualité indéfiniment élastique, les acheteurs et amateurs ne pouvaient pas s'y tromper : cet intervalle était le signe qu'un écrivain préparait quelque chose de grand. Naturellement, il y avait toujours un ou deux critiques pour insinuer que dans cet intervalle l'écrivain n'était pas à son bureau, mais à la pêche en Finlande. On essayait de trouver des signes grâce auxquels aurait pu être prouvé que l'écrivain avait sombré dans l'alcool, la drogue, ou mieux, le doute et la dépression. Particulièrement étudiés étaient les écrivains célèbres, qui avaient connu tous les succès. De ceux-ci on se demandait de quoi ils pouvaient rêver et ce que la vie pouvait encore leur promettre. C'était en cela que le mari de la romancière Jenna Fortuni était un écrivain intrigant. Il avait publié de nombreux livres. Il les avait promenés à la main, de table basse en table basse, devant tous les animateurs. Il existait certes quantité d'écrivains. Cependant, les critiques avaient peu à peu remarqué que cet écrivain-là se présentait moins souvent. Les critiques avaient fait des recherches, suite auxquelles avait pu être annoncé que le mari de Jenna préparait quelque chose de grand.

Ce que le mari de Jenna préparait était inconnu. Gravissant l'escalier sans rampe, il montait au deuxième étage où il s'enfermait dans son bureau conjoint. Jenna passait quelquefois ses soirées avec Larsen Frol. En général ils ne faisaient rien. Ils restaient assis au salon et se promenaient sur leurs écrans. Ou bien tous deux discutaient. Ou bien ils allaient en voiture dans le vaste atelier où Larsen Frol peignait.

Larsen Frol n'était pas Mickey Lance, mais s'il y avait quelque chose qui le passionnait, c'était bien son travail de peintre. Larsen lui aurait sacrifié ses écrits, si la chose avait été nécessaire. Par bonheur ça ne l'était pas, et Larsen Frol pouvait de front mener la peinture et sa carrière d'écrivain. Sa vocation de peintre était récente, tandis que la littérature, qui était née et avait grandi dans son sang, était pour lui naturelle et facile comme la vie.

Larsen Frol sortait de sa voiture et, sans attendre Jenna, entrait à grandes enjambées. Une fois dans le vaste atelier, il restait debout, au milieu, à bonne distance des toiles et des verrières. Les verrières, vu l'heure, étaient noires. Larsen n'avait allumé que les lampes dans le hall d'entrée. Dans l'atelier du reste il n'y en avait pas. Jenna n'avait pas envie de s'avancer. Il faisait toujours froid dans l'atelier de Larsen. Elle ne savait pas où se tenir. Il n'y avait aucun siège. Larsen regardait en direction de ses toiles. Sa réflexion se terminait au moment où il disait que c'était dommage que Jenna ne soit pas venue en journée. Jenna disait alors qu'elle allait biffer une case dans son agenda pour venir voir les toiles de Larsen en pleine lumière.

Debout au centre de cet espace, Larsen avait des choses à dire, contrairement à Jenna, qui restait pensive. Selon Larsen, ça faisait une différence de regarder ses toiles lorsque Jenna était présente. Il racontait: de jour, il restait collé à ses toiles, pour ainsi dire il était dedans.

Les toiles de Larsen étaient monumentales. Jenna les devinait de loin. Sur le sol était posée une nacelle de laveur de vitres dans laquelle Larsen s'installait pour travailler. Une fois ou deux, Larsen avait pris la télécommande et appuyé sur les boutons. La nacelle vide était montée et redescendue dans le noir. À la montée, Jenna avait eu peur d'entendre un bruit de verrière brisée. Larsen n'avait jamais proposé à Jenna de l'emmener là-haut. La nacelle n'avait qu'une place. Comme Larsen Frol était grand, Jenna avait de la peine à l'y imaginer. Moins du tiers de son corps devait pouvoir y entrer. Il devait être dangereux pour Larsen dans la nacelle de se pencher. Il aurait pu perdre l'équilibre.

Du fait de leurs dimensions, les toiles de Larsen étaient difficiles à transporter. Il exposait très peu. Jenna le soupçonnait d'avoir choisi ce format afin de ne pas avoir à se soucier de galeristes et de catalogues. Elle l'avait accompagné à son premier vernissage. Le Hangar Sacreux l'avait exposé. L'endroit était réputé pour sa hauteur de cathédrale. Les toiles de Larsen avaient fière allure. Du moins, c'était ce que Jenna entendait dire autour d'elle. Jenna avait une mauvaise vue. Elle voyait très bien les couleurs, mais pour les formes elle n'avait pas pu s'approcher. Il y avait beaucoup trop de monde. Les toiles se perdaient dans les hauteurs et le regard ne pouvait pas les embrasser. Jenna ne portait pas souvent ses lunettes : en tant qu'écrivaine, c'était formellement déconseillé. Elle aurait risqué, au pire, qu'on la traite de rabat-joie. Au mieux, de rate de bibliothèque.

Larsen était loquace et remuant. Depuis que Jenna le connaissait, elle l'avait entendu raconter des dizaines de fois sa carrière, mais elle avait toujours du plaisir à l'écouter. Il y avait chaque fois des détails qui étaient nouveaux.

Les amours de Larsen étaient nimbées de mystère. On savait qu'il avait aimé, et à certaines époques on savait même qu'il aimait et était précisément en train d'être aimé. Jenna elle-même ne connaissait rien de ces éphémères. Autant Larsen était prolixe en ce qui concernait la Vie, autant il restait muet sur ce qui le touchait de très près.

Larsen disparaissait régulièrement, et c'était en général pour réapparaître de façon spectaculaire : avec une nouvelle invention, avec une nouvelle œuvre d'art, un nouveau livre, avec un artiste qu'il avait découvert ou un nouveau projet de vie. Ou alors sa disparition était si épaisse et entière qu'elle signifiait que Larsen s'était retiré dans la tranquillité pour vivre un amour, comme au fin fond d'une forêt. Et si compact le secret autour de tout nouvel amour de Larsen que Jenna l'imaginait dans ces moments entouré d'une quadruple haie de ronces et d'églantines.

9.

La carrière de Larsen Frol avait commencé comme trois gouttes d'eau. Il avait publié un livre. Ce livre était un objet comme plus personne n'en faisait, une plaquette immaculée sur laquelle était imprimé l'agrégat singulier de lettres : p o è m e s. Le genre de livre qui, de mémoire d'animateur, n'était jamais parvenu à se hisser sur un plateau.

Mais Larsen Frol était blond et il avait des cheveux d'ange. Ses cheveux faisaient un halo fou autour de sa tête lorsqu'il prenait la parole. Son éditeur en était conscient et il avait tout fait pour que les producteurs de télévision en prennent suffisamment conscience aussi pour l'inviter sur un plateau.

Le premier plateau de Larsen Frol était sombre. Ce qui en somme était idéal pour un livre à couverture claire. Toutefois, exceptionnellement, le livre n'avait pas été beaucoup léché par les caméras. Le destin était venu d'un autre côté. La chance de Larsen avait été de se trouver en présence de deux stars mondiales, dont on avait vu les photos sans bikini à la piscine, et de porter une chemise blanche. Le Larsen Frol de l'époque était un jeune inconnu, promis à retomber dès le générique dans son inconnu. Pour les deux stars, il représentait un danger zéro. Toutes les deux s'étaient donc jetées sur lui et, s'en servant de faire-valoir, l'avaient ouvertement taquiné. Elles se l'étaient délibérément disputé.

Larsen Frol sur-le-champ en avait retiré une réputation d'homme à femmes. Son nom désormais était accolé à celui de bourreau des cœurs, bien que personne n'ait plus été en mesure d'expliquer l'expression. Et, en tant que bourreau de cœurs, Larsen s'était vu logiquement invité de nouveau dans une émission.

Un deuxième livre de Larsen Frol était apparu. Celui-ci avait fait un peu plus de bruit, Larsen ayant reçu des éclaircissements sur la hiérarchie entre les genres. La couverture portait le nom de Roman. Il faisait rougir les animateurs qui se plaisaient à l'aborder avec la formule rituelle : ce livre, qui est votre premier roman…

Larsen Frol avait le don de plaire et aux femmes et aux hommes et inversement. Cela grâce à ses cheveux blonds. Mais ce n'était pas seulement eux. C'étaient aussi ses paroles. Mais ce n'étaient pas seulement elles. C'étaient aussi ses gestes. Mais ce n'était pas seulement ça. C'était peut-être finalement l'ensemble, s'interrogeaient les animateurs en enregistrant l'émission. Les régisseurs apportaient enfin le dernier mot : Larsen Frol plaisait aux caméras. Et quoi de plus décisif ?

Le troisième geste de Larsen Frol avait été une image. Il était apparu en une. Il n'avait suffi que de cela. Il n'y avait même pas eu de livre. Au stade de blondeur de Larsen, il n'était pas important que les yeux exactement sachent s'il était acteur ou poète. Il était juste simple d'être vu, par l'intermédiaire d'un objectif et d'une rotative. Sa grâce, simplement, être vue. Ensuite on pouvait bien sûr parler de caractères pressés sur des pages et d'empreintes de mots sur du papier. La couverture du magazine était glacée. Assez pour que sa brillance reflète exactement sans tricher le vrai brillant des yeux de Larsen, ce qui était rarissime.

Ainsi avait débuté la trajectoire du prometteur auteur Frol. Ensuite, il n'était plus possible de dire dans quel ordre les choses s'étaient passées. Beaucoup d'interviews et beaucoup d'émissions. Beaucoup d'images. Beaucoup de mots. Quelques douzaines de chemises blanches et beaucoup de passages devant les mêmes animateurs, dans les mêmes décors d'émissions. Les variations étaient amenées par les livres que Larsen Frol déposait devant ses genoux sur les tables basses. Ils faisaient des taches de couleur, une fois jaune, une fois brune, afin que puissent être justifiées les invitations. Que Larsen ensuite parle ou non du livre importait peu. Il pouvait discuter du monde. Mais il était important que soit manifesté ce signe, qui voulait simplement signifier : est présent ici et maintenant un écrivain.

Les animateurs raffolaient de Frol. Ce plaisir était masochiste, dans la mesure où Larsen n'hésitait pas à les malmener et à les mettre en mauvaise posture. Ce n'était pas de la méchanceté. Larsen n'avait seulement pas le temps de s'occuper des avis des autres. Il ne sentait pas ses propres piques. Il était capable d'insulter sans remarquer sa brutalité. Certaines personnes auraient pu nommer cela un défaut. Mais Jenna appréciait ce trait de son caractère. Quand Larsen disait oui, c'était oui. Quand il disait non, c'était non. Il ne disait jamais peut-être, ou bien qu'il ne savait pas. Larsen préférait se tromper plutôt que de donner une réponse évasive. Il n'hésitait jamais. Il se trompait parfois. Jenna se demandait si Larsen Frol se rendait compte qu'il s'était trompé. Il ne semblait pas le voir. Si quelqu'un venait dire à Larsen qu'il s'était trompé, il écoutait puis reprenait la discussion sur un tout autre sujet.

Aux invitations des télés, Larsen Frol répondait toujours oui. Il ne dédaignait aucun plateau. Il était toujours attentif et souriant, donnant du cœur à l'émission et mettant de la moelle sous son écorce; n'ayant pas peur de reprendre un animateur qui se serait mal exprimé, ou imprécisément; n'ayant pas peur de s'esclaffer à haute voix, même si les gens autour de lui restaient de marbre; ne craignant pas de se lever sans avertissement pour montrer comment il exécutait des cabrioles en peignant; coupant la parole à une star au beau milieu de sa tirade pour faire remarquer aux téléspectateurs le jeu de la lumière dans la pierre de sa boucle d'oreille.

Les cameramen avec Larsen Frol avaient du boulot. Ils devaient sortir de leur routine. Ils n'aimaient pas l'avoir sur un plateau. Larsen Frol était énervant. Il était imprévisible. Il sautait aux quatre coins des studios. Il faisait transpirer dans les régies. Il piétinait souvent les usages et il faisait sursauter les gens. Mais Larsen aurait-il pu faire autrement? Ainsi le voulait sa nature.

10.

Pourquoi était-il aussi dangereux qu'un livre ne puisse être comparé à un autre ? La question occupait Jenna. Elle pensait tenir des éléments de réponse : les livres étaient des objets qui semblaient venir de nulle part. Ils éclosaient en une minute dans tous les coins comme des champignons. Il n'était déjà pas facile de comprendre d'où diable ils pouvaient sortir, dès leur apparition entiers et finis. Il n'était de surcroît pas facile de les accepter tels quels, sans possibilité de les modifier. Le public et les animateurs devaient l'admettre : un livre avait un certain format, une certaine épaisseur de dos, une certaine illustration sur la couverture. Le livre était promené en compagnie d'un certain écrivain, et que cette silhouette et ce visage y soient ou non assortis, toutes les télés du monde n'y pourraient jamais rien.

Le mari de Jenna était d'accord avec son analyse. Il la mettait cependant en garde, à la conclusion : les télés du monde certes n'y pouvaient rien, mais arriverait un jour où les télés du monde y pourraient beaucoup. Il était déjà sensible que certains livres étaient moins montrés, parce qu'ils n'étaient rattachables à aucun objet déjà répertorié. Et le mari de Jenna, qui était pessimiste, lui prédisait l'avenir : approchait déjà le temps, pas si lointain, où amener son livre et trôner dans des émissions ne suffirait plus. Les écrivains allaient devoir en faire davantage pour obtenir l'attention : mettre la main à la pâte. Donner des leçons dans des écoles. Alphabétiser les cancres. Écrire tous les jours dans des revues qui serviraient par la suite à sécher des bottes. Construire des soirées avec leur livre et inventer des astuces pour que celui-ci devienne d'une façon ou d'une autre un petit théâtre accueillant.

Éden Fels avait raison : beaucoup d'écrivains déjà s'en allaient en tournée pour deux ou trois mois. Ils se produisaient dans toute sorte d'endroits. Lui-même toutefois n'en avait pas besoin. Son nom était en toutes lettres sur tous les écrans. Chaque fois qu'un critique mentionnait un auteur, il le citait comme référence. Éden Fels était une sorte d'auteur étalon. Le monde littéraire s'articulait en deux phases : avant lui / avec lui. Certes, d'autres auteurs allaient venir et avec eux d'autres articulations. Rien dans ce monde n'était persistant. Mais pour le moment, c'était ainsi. Le mari de Jenna, bien qu'invisible, et peut-être justement pour cette raison, constituait le centre.

Larsen Frol quant à lui faisait beaucoup de tournées. Il aimait jouer tous les rôles, même ceux qu'il n'avait jamais appris. Ses spectacles étaient des productions échevelées où le livre se perdait dans le décor et dont les spectateurs à la fin ne savaient plus très bien décrire ce qu'ils avaient vu. Ils duraient quelquefois quatre heures, ce qui était nettement au-dessus de la moyenne des prestations littéraires. Subitement Larsen Frol sur scène se mettait à peindre. Un silence gagnait la salle. Les spectateurs, les yeux humides, disaient en sortant que de leur vie ils n'avaient jamais vu un écrivain aussi touchant et talentueux.

11.

À force de parler de son livre, Jenna Fortuni ne savait plus très bien ce qu'il y avait dedans. Elle avait répondu jusqu'au vide à des questions concernant ses modèles, son élaboration, le choix de ce format-là et le pourquoi de la couleur rouge. Elle avait même réussi l'exploit d'énoncer presque clairement les raisons pour lesquelles un livre s'appelait livre et pour quelle utilité tous ces livres étaient conçus.

À présent, de temps à autre, une pensée l'effleurait: qu'y avait-il dans son livre? Jenna l'avait toujours avec elle, mais il y avait une éternité qu'elle ne l'avait plus entrouvert. C'était comme un poids sur ses mains. Jenna pour tout dire n'avait pas regardé dans un livre depuis des années. Peu de gens se risquaient à ouvrir des livres. Cela ne se faisait plus tellement. Un livre était un objet délicat. Il était à manier avec précaution. On ne pouvait pas l'ouvrir à tout bout de champ. Tout devenait embarrassant du moment que l'on se mettait à vouloir fourrer son nez dans un livre. Dans un livre, il y avait des choses. Il fallait pouvoir les saisir. On ne savait pas d'avance ce que ce serait, et qu'adviendrait-il si ces choses étaient inutilisables? Si elles étaient fumeuses, incompréhensibles? Il fallait ne pas se tromper, comprendre ce qu'il y avait à comprendre et laisser de côté ce qui n'avait pas besoin d'être compris.

La crainte de base des animateurs de télévision était d'ouvrir un livre sous l'œil de la caméra et qu'il n'y ait rien dedans. Un cas de ce genre s'était présenté: un de ces vieux écrivains, et précisément celui que la rumeur accusait de faire des boîtes en carton, avait été démasqué. Une actrice, ayant voulu faire sa maligne, avait pris le livre et fait mine de le feuilleter. Sous les yeux du monde horrifié, elle n'y était pas parvenue et, l'animateur n'arrivant pas à s'interposer, il était clairement apparu que le livre était une boîte. Avec de simples images découpées, soigneusement collées.

Le vieil écrivain n'avait pas cessé de se produire dans les émissions. Il publiait d'autres livres et ce n'était pas scandaleux que tout le monde voie en eux de simples boîtes en carton. Les couvertures étaient jolies. Les producteurs estimaient que, s'il avait réussi à parler durant trente-cinq ans sur des plateaux à côté de livres en carton, c'était la preuve que cet écrivain avait tout de même quelque chose à dire.

Pour sa part, le vieil écrivain ne s'était pas justifié. Il avait eu l'air éberlué quand l'actrice impulsive l'avait démasqué. Il n'avait pas cherché d'explications. Il était resté figé quatre secondes. Il avait dit que cela n'était pas compréhensible. Il avait composé beaucoup de livres.

Plus tard les sondages avaient révélé que les téléspectateurs n'étaient pas hostiles à l'écrivain. Ils pensaient que cet écrivain devait bien avoir des excuses. Une partie d'entre eux estimait que l'écrivain s'était fait voler. D'autres pensaient qu'il avait dû subir un envoûtement, sur une île noire, ou que la scène avait été montée de toutes pièces par sa maison d'édition.

Désormais, quand le vieil écrivain était devant les

caméras, c'était devenu comme une farce pour l'un ou l'autre invité de faire mine, à un moment ou à un autre, de se saisir de sa boîte-livre et de vouloir l'ouvrir. On riait beaucoup et cela ne présentait de toute façon aucun risque : ses boîtes étaient bien scellées.

12.

Ce qu'il y avait à l'intérieur des livres n'était jamais clair. Le secret était bien caché et personne n'avait envie de le découvrir. Il était possible que certaines choses soient devinées par ouï-dire. Mais en principe, ce qui était dans un livre concernait son auteur. C'était une affaire strictement personnelle.

Jenna supposait que certains auteurs remplissaient leurs livres en recopiant des livres anciens trouvés dans des bibliothèques. Et Larsen Frol lui avait confié que lui-même avait travaillé de mémoire : dans son enfance, il avait lu des livres et cela lui servait de réservoir pour plusieurs volumes. Jenna elle-même composait de différentes façons : elle accumulait des signes sur des feuillets, jusqu'à en obtenir quatre cent mille. Elle en faisait un paquet et envoyait le tout à son éditeur. L'adresse de l'éditeur bizarrement était un prénom et un nombre. D'autres fois, quand elle était inspirée, Jenna se donnait la peine de faire des compilations de vieux textes qu'elle dénichait sur son écran. Comme tous les auteurs, elle composait sans se relire, étant donné que les éditeurs avaient de bons assistants et que le texte serait de toute manière compressé trente-six fois.

Il n'était pas si facile pour Jenna de comprendre le

lien entre ces pages qu'elle expédiait par écran et l'objet en forme de coffret qu'elle recevait en retour par porteurs spéciaux. C'était une telle transformation! À chaque fois, elle était comme Cendrillon recevant son carosse.

À ce stade d'achèvement du livre, Jenna Fortuni ne l'ouvrait pas. À quoi bon. La couverture était magnifique. Exactement selon ses souhaits. Son éditeur était un vrai crack. Il avait le chic pour comprendre exactement ce que Jenna pensait. Ouvrir le livre aurait gâché cet effet. Les feuillets que Jenna avait envoyés étaient tellement inégaux et désordonnés. Le livre qui lui revenait était sans comparaison.

Naturellement la question des compilations, à l'origine, avait passablement divisé l'opinion. Il y avait eu cette affaire, celle de la vieille instructrice dont c'était le premier roman, et dont on avait découvert ensuite qu'elle avait recopié les devoirs de ses élèves. Le livre avait été un best-seller. L'instructrice avait été trahie par les noms et prénoms des élèves, qu'elle avait négligé d'effacer.

Une telle affaire avait pu se produire à une époque où l'on inspectait encore tous les livres. Jenna était bien contente que cette habitude ne soit plus dans les mœurs. Quel effort sans fin de devoir vérifier à toutes les sources si tel mot était un emprunt, si telle idée n'avait pas quelque chose à voir avec ce que tel ou tel auteur avait mis, plus de vingt ou trente ans auparavant, dans un livre dont plus personne ne connaissait l'existence et dont plus personne n'avait même souvenir de la couverture! Ce travail devait être titanesque. Jenna était reconnaissante aux écrivains du passé, ceux qui avaient crié stop et qui avaient demandé qu'on les laisse faire tranquillement leurs travaux de compilations sans qu'ils aient à rendre de comptes.

La figure de proue de ce mouvement avait été l'écrivain Helleui P. Vim. Un beau jour, Helleui P. Vim avait déclaré, las des attaques et des agaceries dont il était la victime de la part des critiques littéraires, qu'il s'était servi là où il avait trouvé des idées proches de ce qu'il voulait dire. Il ne voyait aucune malice à cela. Il s'était librement ravitaillé. H. P. Vim réclamait la liberté de se servir. Le monde avait évolué. Il n'y avait plus à faire de différence entre son inspiration et l'inspiration de son voisin. Oui H. P. Vim avait recopié des dizaines de textes et romans. Et alors? Ce n'était pas par manque d'imagination, mais parce qu'il voulait conserver exactement leur façon de dire. Si les auteurs, pour éviter d'être influencés, avaient dû se retirer dans leur petit crâne et ne consulter aucun autre texte, les livres, selon H. P. Vim, auraient été bien monotones. Compiler était simplement une façon de ne pas rester isolé. L'écrivain H. P. Vim avait terminé en prononçant des paroles qui devaient demeurer célèbres: l'originalité, de toute manière, n'existait pas. Seule existait la sincérité. Helleui P. Vim n'était qu'un des locataires de son esprit: il se servait partout où il pouvait trouver du souffle et des idées convaincantes.

Jenna avait visionné des dizaines de fois les images de cette interview mythique sur son écran. À la fin de l'interview, le visage d'Helleui P. Vim avait été traversé par une ombre. H. P. Vim avait peur que ses paroles ne soient transposées hors contexte. Il avait demandé à revoir l'intégralité de cet entretien avant diffusion.

13.

Ah, il était bien fini le temps où les livres servaient à répartir les gens sur une échelle. Plus personne à présent n'avait lu de livres. C'était la démocratie. Par le passé, les écrivains avaient été habiles à créer leur petit système, où les gens qui avaient lu des livres étaient les meilleurs et ceux qui n'avaient rien lu, les médiocres. À cette époque-là on pouvait dégoiser, s'étirer, prendre le thé et quasiment se déshabiller devant les caméras simplement parce qu'on avait dans la tête quelques dizaines ou centaines de livres.

Oui, ce temps était révolu. À présent, les choses étaient plus honnêtes: les personnes qui étaient posées devant les caméras avaient quelque chose de plus solide à montrer: une robe, une nouvelle poitrine, une médaille d'or, un tableau de statistiques, un grand-père incestueux, un livre, une erreur de chirurgie esthétique. Elles ne venaient pas pour faire des combats de coqs et de petits chefs. Elles venaient simplement montrer. Ensuite, pour être agréable, on pouvait les faire parler de leur quotidien ou des choses qui naissaient instantanément dans leurs esprits.

Les gens du passé étaient de pauvres gens. Ils ne voyaient pas la réalité en face. Ils s'enfermaient dans des carcans de mots écrits ou dits par des personnes qui n'étaient plus que des os blanchis. Il fallait s'échiner des années et des années avant d'avoir suffisamment de stocks dans la tête pour se sentir capable de s'exprimer pour les caméras. Et l'exercice était ardu : savoir ouvrir ses tiroirs au bon moment pour en sortir les bonnes citations ; ne pas faire de fautes de grammaire ; ne pas mélanger les concepts ; ne pas juger selon son bon sens ou ce que l'on avait sous les yeux, mais faire appel aux os de Ni-Psé ou de Ali Strotre, qui savaient tout mieux que tout le monde : cela n'était pas à la portée du premier venu.

Par bonheur, oui, ce temps était révolu. Jenna s'en réjouissait. Elle n'aurait pas pu être écrivaine à une telle époque. À présent, elle n'avait pas besoin d'emporter une valisette mentale dans les émissions et de la remplir anxieusement à grand renfort de livres. Il lui suffisait d'être présente avec son bon grain de jugeote. De plus, avoir de la jugeote n'était pas vraiment nécessaire. Il se trouvait quantité de people, d'acteurs, d'actrices et de sportifs disant n'importe quoi à n'importe quel moment devant les caméras. Ils étaient même les chouchous du public. Le public s'y reconnaissait. Le public avait de l'affection pour les caractères francs.

Le mari de Jenna, dans cette catégorie, était très très fort. Il était le champion des livres sans concepts. Il avait réussi à oublier tous les livres qu'il avait encore dû lire à l'école, du temps de l'ancien système. À présent son cerveau était en flux direct avec la mémoire vive. Jenna n'avait aucune idée de ce qu'il y avait dans ses livres, mais elle était sûre qu'ils brûlaient comme des rivières de jeune lave qui n'était pas aveuglante.

14.

Lors de certaines émissions, des écrivains de la vieille école tentaient de se rebiffer en parlant d'entrouvrir leur livre, de mettre le nez dedans et, sous prétexte d'étayer leurs propos, d'en lire de rapides extraits.

L'animateur se récriait : Attention ! Il ne fallait pas tomber dans l'erreur de penser qu'un livre était utilisable indéfiniment ! Le livre certes était l'échelon, qui avait permis à ces écrivains de se hisser sous les projecteurs. Cela était formidable, et ils auraient dû déjà être contents. Ces livres étaient maintenant derrière eux. Il leur était maintenant demandé de passer à la suite et de fournir une prestation immédiate. Car le temps des plateaux était le présent. Chaque présent à chaque émission devenait nouveau. Le temps sur les plateaux était perpétuellement neuf.

Les animateurs étaient accoutumés à ce genre de scènes. Ils les redoutaient, mais elles leur permettaient :
N) de rappeler les règles et de mettre les points sur les i.
O) de chercher la définition de la littérature et des livres.
P) de rappeler que tout se vivait au présent et que rien du passé n'était recyclable.

Les écrivains n'étaient pas à plaindre : ils avaient eux-mêmes provoqué cette situation. Par le passé en effet, au temps où on lisait des livres et où on les ouvrait sur les plateaux, de nombreux écrivains avaient commencé à produire des ouvrages de plus en plus incompréhensibles. Personne ne savait pourquoi. C'était un mouvement de masse, et il n'était pas réversible. Du texte était imprimé, mais ce qu'il y avait dans les livres était touffu, noir, impossible à désembrouiller. Les auteurs en ces temps-là étaient tout prêts à le reconnaître : ce qu'ils avaient mis dans leurs livres était obscur. Ils l'avaient fait exprès. Eux-mêmes ne comprenaient rien à ce qu'ils y voyaient écrit. Il s'agissait d'une expérience personnelle, en vase clos. Cette expérience était prisée et très populaire entre les auteurs. C'était à qui s'enfoncerait le plus loin.

À l'époque, les éditeurs dans l'affolement avaient réagi en imprimant toujours plus de livres. Ces livres avaient été toujours moins lus. Bien entendu, il était devenu embarrassant pour les animateurs de s'aventurer à l'intérieur de tels volumes. Les animateurs de cette époque n'étaient pas fous. Ils ne voulaient pas avoir l'air bête et se perdre dans un livre en direct. Ils avaient donc logiquement préféré demeurer là où les mots n'étaient pas nombreux et où la disposition n'était pas complexe. Ils s'étaient cantonnés prudemment aux couvertures. Et les acheteurs, les imitant, n'avaient plus pénétré dans les livres.

15.

L'arc d'un écrivain, par nature, devait comporter de multiples cordes. Il était en tout cas conseillé d'en avoir beaucoup. Tel célèbre prosateur collectionnait les assiettes et trouvait le temps de faire aussi de la cuisine. Telle écrivaine faisait du judo, de la sculpture, composait des vers en danois et, ce qui était remarquable, publiait chaque six mois ses livres par paquets de deux.

Jenna à l'origine n'avait pas d'autres intérêts. Mais son éditeur lui ayant suggéré de choisir quelque chose de simple, elle avait acquis un oiseau. Ainsi, sur les plateaux, il lui était possible de discourir des sifflements matinaux. Ou bien d'expliquer le caractère de l'oiseau qui était chez elle. Ou d'autres choses encore plus précises. Ou bien de développer un cas de conscience : garder ou non en cage un oiseau ? La question intéressait les animateurs, qui invitaient des spécialistes pour en débattre.

Le mari de Jenna avait toujours refusé de parler de quoi que ce soit. Il n'ouvrait la bouche qu'à propos de livres. Les animateurs étaient ennuyés. Cet artiste constituait une exception. Certains critiques avaient avancé que là-dessus s'était bâtie sa célébrité. D'autres avaient écrit en de petits endroits : réfractaire. Mais cela heureusement n'était jamais arrivé sous les yeux du public.

Il y avait de cela longtemps, à leur sortie de l'école, Éden Fels et Jenna Fortuni avaient été des jeunes gens cultivés. Du moins avaient-ils fait des efforts en ce sens. À présent tout cela était démodé et Jenna n'était plus cultivée. Comme tout le monde, elle avait toujours sur elle son écran, sur lequel elle pouvait à tout moment vérifier ce qu'elle avançait et grâce auquel, en deux minutes, elle en savait dix fois plus que le prix Moebel. Le mari de Jenna non plus ne savait rien du tout, à part composer des œuvres d'art, ce qui était bien l'unique chose qui ne serait jamais obtenue d'un écran et par conséquent la seule activité qui en valait la peine.

Les écrans, de l'avis de Jenna et de son mari, étaient une excellente chose. De la sorte il n'était plus besoin de perdre son temps à se bourrer la tête et les nerfs avec des concepts. Tout était à présent partout. Tout était donné sur-le-champ. Il n'y avait qu'à s'épanouir et profiter de la vie. Ces dernières années, les stages de Hand Touching et les clubs épicuriens s'étaient multipliés. Jenna et son mari n'en étaient pas membres, mais la télé et les reportages en donnaient souvent des descriptions. Ces réunions avaient lieu dans des serres. Le haut degré d'humidité et l'odeur feutrée des engrais plongeaient les individus dans un état. Dans certains clubs, on se passait la chicha. L'importance était donnée à la lumière, qui devait être saturée de chlorophylle. Il était conseillé de s'entourer d'oiseaux, de papillons, de grenouilles. Les bruits d'eau étaient souhaités. Les gens dans ces clubs ne parlaient pas. Ils absorbaient par la peau. Un peu comme du Hand Touching.

Jenna n'allait presque plus souper chez des amis. Il était devenu trop pénible de relancer les discussions.

Elles mouraient sans cesse. Les convives vérifiaient chaque mot sur leurs écrans. Chaque fois que l'on ouvrait la bouche, il se trouvait des volontaires pour rectifier les affirmations : les noms, les dates, les listes d'œuvres, les recettes, les noms de rues ou de cours d'eau, les précisions d'altitude. Les présentations devenaient inutiles. Il suffisait que Jenna donne son nom : ses interlocuteurs par réflexe prenaient connaissance sur leurs écrans de son cursus et de sa biographie. D'où l'importance démesurée qu'avaient pris les noms et prénoms ces derniers temps. Ils étaient devenus des sortes d'emblèmes. Jenna et son mari étaient restés raisonnables, mais certaines de leurs connaissances s'étaient affublées de patronymes faisant instinctivement penser à des groupements de motards.

Le dernier souper de Jenna chez des amis avait été un désastre. À sa droite était assis un homme inconnu. L'homme lui avait demandé son nom et son prénom. Jenna s'était présentée, à la suite de quoi l'homme, ayant consulté son écran, avait commenté tout son CV. Il avait mis la main sur sa biographie non autorisée, de sorte que Jenna s'était vue rappeler de ridicules épisodes de vie n'ayant rien à voir avec son métier. L'homme à son tour s'était présenté. Il n'avait pas répondu aux questions de Jenna, arguant qu'il venait déjà de lui envoyer toutes les informations sur sa personne. Ses noms et prénoms étaient : Furious Vulturous Winged Wheel Jim, ce qui faisait penser à Jenna qu'ils étaient récents.

Jenna avait fait ensuite la connaissance de trois autres personnes. La conversation était agréable. Elle avait roulé sur les minarets. Le plat de résistance avait été dévoré. Au dessert, un brouhaha s'élevant, Jenna avait dû s'entretenir seule à seul avec son voisin de gauche.

Elle avait engagé la conversation sur ses livres, mais cet homme était déjà au courant. Il lui avait rappelé une de ses phrases lors d'une émission qu'elle-même avait oubliée. L'homme lui en avait fait visionner les images, puis il avait expliqué qu'il s'était documenté sur chaque invité avant de venir. Il avait posé encore à Jenna deux questions de vérification. Et, tout à coup, sans prévenir, l'hôtesse devant tout le monde avait demandé à Jenna si elle était d'accord de leur montrer sa boîte rose. Les regards avaient convergé vers elle.

Jenna un bref instant avait perdu contenance. Elle ne savait pas clairement ce qu'étaient les boîtes roses. Elle en avait certes entendu parler et comme tout le monde elle avait entendu dire que chaque personne en possédait une. Mais Jenna ne savait pas où étaient ces boîtes ni à quoi elles pouvaient servir. Remarquant son embarras, l'hôtesse venait au secours de Jenna. Elle se dépêchait de rappeler que les boîtes roses n'avaient d'autre fonction que de stocker les informations que chacun désirait garder pour soi. Vos indications les plus secrètes, renchérissait Furious Vulturous Winged Wheel Jim. Il regardait Jenna avec un grand sourire. La lumière de la lampe étincelait sur ses dents.

Il faut bien sauvegarder un peu de mystère, s'écriait l'hôtesse à sa suite, et tout le monde lui donnait raison. Il fallait conserver des secrets. Chacun se voyait quotidiennement répertorié par catégories sur les écrans, et à la fin tout le monde finirait par se ressembler. Il fallait en laisser un peu de côté. Protéger son petit pour-soi. Voilà pourquoi les boîtes roses.

L'hôtesse avait servi des boissons. En fin de soirée, une femme avait proposé de partager les contenus des boîtes roses, pour être vraiment des amis. Les invités étant enthousiastes, toute la tablée s'était déplacée devant un écran géant. Les boîtes roses une à une avaient été ouvertes. Les amis poussaient des cris. Jenna avait trouvé les contenus des boîtes roses légèrement décevants. Ils étaient sensiblement pareils.

Par chance, Jenna ne connaissait pas d'accès à sa boîte. Elle n'avait connaissance d'aucune clé et n'avait jamais regardé dedans. Elle était contente. Elle n'aurait eu aucune envie d'ouvrir sa boîte rose devant Furious Vulturous Winged Wheel Jim.

16.

Jenna Fortuni et Joanna Fortaggi se côtoyaient de longue date. Mis à part le fait que Joanna avait publié deux livres de plus que Jenna, elles avaient tout fait en même temps. Un critique les avait surnommées un jour écrivaines-jumelles. Un autre avait écrit que Jenna et Joanna étaient comme les deux ailes d'un beau papillon. Joanna outrée avait répondu que les ailes des papillons étaient quatre et qu'il manquait par conséquent deux moitiés.

Jenna et Joanna s'étaient connues au moment où étaient apparus leurs premiers livres. Ils étaient sortis à la même époque. Certes pas exactement le même jour ni exactement à la même heure, mais, le temps passant, la confusion avait vite fait son travail dans les esprits.

La chose qui amenait le plus de confusion était que leurs premiers titres étrangement étaient semblables, à trois syllabes près. Il s'agissait d'un prénom de femme. Et comme leurs noms étaient voisins, il était inévitable que les critiques, l'univers et les caméras constamment cherchent à les faire se rejoindre.

Jenna Fortuni en avait pris son parti. Elle était plus calculatrice et elle avait vite compris l'avantage de cette double représentation. Joanna Fortaggi pour sa part était furieuse. Elle croyait qu'elle n'existait plus. Elle faisait de puissants efforts pour se distancier de Jenna, mais on aurait dit que la fortune, la lune et les étoiles se liguaient contre elle : chaque fois que Joanna changeait de coiffure, Jenna, comme avertie par antennes, en changeait aussi. Si elle sortait un volume d'un format spécial, Jenna en faisait un aussi, quasiment le même. Joanna décidait de s'habiller tout en noir, parce que cette couleur à sa connaissance n'avait jamais été vue sur Jenna. Manque de pot : à ses côtés sur le plateau Jenna s'asseyait vêtue de bleu marine. À ces instants-là, Joanna aurait voulu changer de nom pour redevenir elle-même.

Leurs premières rencontres sur les plateaux avaient été pour Joanna des moments pénibles. Elle se tenait toujours sur le qui-vive et reprenait vertement les animateurs quand ils engageaient la comparaison. Cette attitude ne lui avait pas nui, dans le sens où les téléspectateurs et les acheteurs raffolaient des écrivains à fort caractère.

On aurait sûrement souhaité la pousser dans cette direction. Mais Joanna, sentant venir le piège, s'était rassérénée. Elle avait publié cinq livres. Elle s'était dit que la postérité saurait juger et départager les deux œuvres. Jenna Fortuni n'était pas antipathique. Elle n'était pas non plus sympathique. Il n'y avait qu'à la supporter, et un jour où l'autre cette Jenna Fortuni disparaîtrait, catapultée par l'Audimat ou par une erreur fatale de ses éditeurs.

Il y avait encore d'autres solutions : que Jenna Fortuni tombe malade. Qu'elle perde l'inspiration. Qu'elle se remarie et change de patronyme. Qu'elle parte à l'autre bout du monde. Qu'à la suite d'une opération elle devienne aphone, vilaine, bête et manchote.

Évidemment, Jenna Fortuni n'était rien de tout cela.

Elle brillait dans les émissions. Jenna aurait aimé avoir les coudées franches, mais elle ne s'en faisait pas trop. Elle aussi pensait qu'un jour ou l'autre cette Joanna Fortaggi s'en irait. La vie n'était jamais constante, et il se passerait quelque chose qui ferait que cette Joanna disparaîtrait des plateaux. On perdrait l'habitude de dire : Jenna Fortuni, comme sa sœur en littérature Joanna Fortaggi… On perdrait l'habitude de les accoupler en parlant de jumelles et de papillon. Jenna serait seule sur les plateaux. Il y aurait bien une star ou l'autre. Mais ces personnes-là comptaient peu. Elles n'étaient pas passionnantes, et d'ailleurs ce n'était pas ce qui leur était demandé. Il y aurait bien sûr toujours des animateurs. Eux non plus n'étaient pas lumineux, mais à eux non plus rien de ce genre n'était demandé. Ils constituaient l'armature. Dans le fond, il était assez normal qu'ils soient creux.

17.

Comme cela se produisait sans arrêt, Jenna Fortuni était invitée sur un plateau en même temps que Joanna Fortaggi. Afin, bien évidemment, de discuter de leurs livres. Ce soir-là, Joanna Fortaggi s'était vêtue tout de rouge, pour se distinguer de Jenna. Par malchance, elle avait oublié que la couverture du livre de Jenna Fortuni était rouge, ce qui constituait un direct et puissant rappel. Le subconscient de l'animateur y était sensible : à trois reprises dans l'émission, les deux livres dans sa bouche étaient confondus, et la maternité du livre de Jenna Fortuni était attribuée à Joanna Fortaggi.

Jenna conservait son calme, parce qu'elle avait visionné un cours de méditation et parce qu'elle avait vu la veille un docu-fiction sur des moines de Shaolin. Mais Joanna Fortaggi de son côté bouillonnait de rage. Elle en oubliait les convenances qui disaient que les plus grandes insultes pouvaient s'envoyer sur toutes les faces, du moment que c'était avec le sourire. Ses yeux brûlaient comme deux torches. Ses narines frémissaient. Ses lèvres, qu'elle mordait en vain, laissaient enfin tomber une énormité en direction de l'animateur.

Le pauvre animateur, éberlué, cherchait une réplique dans ses notes. Ce cas ne s'était jamais produit. Il ne savait plus très bien que dire. Jenna voyait que l'émission allait basculer. Tout le monde allait glisser jusqu'au fond si personne ne redressait la barre. Elle cherchait elle aussi une réplique. Mais les caméras, l'ignorant, restaient fixées sur Joanna Fortaggi, laquelle ne savait plus comment se sortir de l'entonnoir de rage où elle était tombée.

C'était une erreur des producteurs d'avoir invité deux écrivaines sur un plateau. Cela ne se faisait pas. Personne n'était là pour l'intermédiaire. Ce genre de constellation était rarissime. Normalement les producteurs prévoyaient une ou deux stars, ou des people, pour faire le divertissement, entretenir l'audience et améliorer le décor, car les écrivains, c'était connu, ne brillaient pas forcément par leur esthétique.

Joanna Fortaggi sortait de son silence. Elle bafouillait quelques mots dans son micro qui heureusement avait été coupé. Heureusement aussi l'animateur s'était saisi de son livre et un peu précipitamment, mais quand même toujours à propos, il en faisait une deuxième fois la présentation. L'animateur rappelait aux téléspectateurs que ce très beau livre se trouvait dans les magasins et que son auteure était la romancière : Joanna Fortaggi. Que Joanna Fortaggi était talentueuse et que, bien que son livre et que celui de l'auteure Jenna Fortuni puissent souvent sembler comparables, ils n'avaient presque rien en commun. Les livres de Joanna et de Jenna pouvaient sembler être frères et en même temps ils pouvaient s'opposer du tout au tout. C'était un phénomène curieux et paradoxal, mais c'était ce qui les rendait intéressants. Et ce n'était pas fini, car il en était de même pour leurs auteures. Ces écrivaines étaient comparables et pourtant elles résistaient à la comparaison. N'était-ce pas intéressant ?

Joanna Fortaggi, lissant sa robe rouge sur ses genoux rouges, devait l'admettre : tant de points communs existaient entre elle-même et Jenna Fortuni. Et pourtant, comme cela était curieux, elles auraient eu beau essayer et essayer de se rejoindre, il y aurait toujours eu un petit quelque chose qui serait demeuré différent. Joanna expirait profondément et l'animateur, retombant enfin sur ses pieds, l'emmenait sur le terrain des enfants et des puces. Il était de notoriété publique que l'un des fils de Joanna Fortaggi était pucé. Les enfants étaient d'ailleurs un des éléments distinctifs qui faisaient que Jenna et Joanna n'étaient pas totalement superposables.

Jenna et son mari n'avaient pas d'enfants. Ils avaient réglé le problème en collant des stickers à deux fenêtres de leur appartement. Ainsi les automobilistes avaient-ils l'impression, en passant devant chez eux, d'une présence enfantine dans la maison. Deux galopins roux derrière leurs vitres faisaient un signe. Ils avaient le nez retroussé et quelques taches de rousseur. Jenna et son mari avaient dû aller chercher assez loin afin que leurs stickers ne ressemblent pas à ceux de maisons voisines. Jenna s'était opposée à ce que son mari leur donne des noms. Elle avait craint qu'il s'attache. Son mari toutefois pour plaisanter les avait baptisés Jack et Pam.

Pam avait deux tresses rousses. Ces enfants-là étaient beaucoup plus gros que nature, pour être visibles de loin. Quand Jenna était dans la pièce, elle était beaucoup plus petite. Leurs têtes étaient gigantesques. De près, ils étaient hideux et trop schématiques. Jenna avait peur d'eux.

Joanna Fortaggi était de retour sur ses rails. Elle s'épanchait sur les enfants. Le moindre cameraman-stagiaire connaissait tout l'historique, mais c'était la convention, et qu'aurait pu raconter Joanna si ce n'était ses enfants et son fils qui était pucé ? C'était sous ces deux mots-clés qu'elle était classée sur les fiches de paume des animateurs.

Joanna Fortaggi posément racontait : les enfants, devenus grands, étaient devenus moins plaisants. L'aîné pour son anniversaire avait souhaité se faire poser une puce sous la peau et il n'avait pas voulu en démordre. L'animateur saisissait une occasion de couper Joanna et il lançait Jenna sur le sujet de l'absence d'enfant. Jenna Fortuni souffrait-elle de ce manque ?

Jenna souriait divinement. Il était important, voire crucial, qu'une femme sourie divinement à cette question. Un coin de lèvres mollasson, une joue rigide, un rictus un peu sec induisaient immédiatement le soupçon d'amertume, de désespoir, et des questions plus perçantes.

Jenna présentait sa réponse : l'absence d'enfant n'était pas un manque ; et puis il y avait Jack et Pam. Les yeux de Jenna pétillaient quand elle disait leurs noms. Il y avait aussi son oiseau, qu'elle chérissait comme un enfant.

J'attendais que vous me fassiez cette réponse, s'exclamait l'animateur, oubliant la règle d'innocence qui disait de ne jamais matérialiser ses pensées et de faire comme si tout cerveau était vide.

Jenna souriait. Depuis le temps, elle avait tout ça dans le sang : le tempo des caméras 1 et 2, le rythme des enchaînements, la dramaturgie du direct. Elle sentait qu'elle devait encore sourire quelques secondes, le temps de donner des raccords de réserve à la caméra, avant de revenir à elle-même. Jenna laissait glisser les caméras. Les caméras passaient et repassaient sur sa peau. Somme toute, c'était un peu comme du vent ou du sable. Des milliers d'yeux dans une lentille. Des milliers et des millions d'expressions. Jenna Fortuni souriait aux deux caméras. Voyant cela, Joanna Fortaggi souriait aussi. Les deux romancières, sereinement, souriaient de plus belle. Elles semblaient près de se donner la main. L'animateur souriait aussi. Vingt secondes durant il ne disait rien, ce qui était un record.

Le cameraman profitait de l'état de grâce pour faire une magnifique plongée en point d'orgue qui était, tout bien pesé, comme un coucher de soleil.

18.

Alors que Jenna Fortuni et Joanna Fortaggi s'étaient maintes fois côtoyées dans les studios, elles ne s'étaient jamais adressé la parole. Elles ne s'étaient littéralement jamais parlé. Les animateurs avaient agi entre elles deux comme des sas. Le regard de Jenna Fortuni en train de parler ne s'était jamais posé dans les yeux de Joanna Fortaggi, qui elle-même durant ses discours n'avait jamais planté ses prunelles dans celles de Jenna Fortuni. C'était la loi sur les plateaux. Les animateurs dirigeaient et distribuaient la parole. De mémoire de téléspectateur, il ne s'était jamais vu que des invités s'autorisent à discuter entre eux. Un invité ne pouvait pas apostropher un autre invité. Un invité s'adressait uniquement à l'animateur. Avant de poser une question, un invité devait en recevoir la permission. Des invités attendant leur tour pour une question étaient reconnaissables à leurs épaules rentrées, à leurs bras croisés et leurs airs soumis d'écoliers.

C'était comme ça : Jenna et Joanna auraient pu sembler des amies aux yeux des téléspectateurs, mais une fois le générique lancé, elles se levaient et détachaient leurs micros en se tournant le dos. Elles cultivaient un germe de compétition à guetter à laquelle des deux l'assistante tendrait son manteau en premier. Ensuite, toutes deux jetaient autour d'elles un œil vague, et après des salutations aux câbles, aux techniciens, aux stars et aux réflecteurs, elles disparaissaient comme des flèches.

C'était une impression étrange que Joanna soit si près d'elle sous les spots au point que Jenna puisse tout voir sur son visage. En face de Joanna Fortaggi, Jenna se sentait dans une bulle. Mais Joanna aussi était dans une bulle. Joanna et Jenna dans leurs bulles se tenaient en quelque sorte en sécurité de ne pas mélanger leurs voix. Cela était nécessaire, car qu'arriverait-il si Jenna adressait la parole à Joanna ; si Joanna était obligée de répondre quelque chose d'aimable ; si elles échangeaient des mots sur le beau temps ou pis, sur leurs prochains livres ? Leurs deux bulles éclateraient et elles se réuniraient, et du même coup serait perdue la toute petite marge qui faisait que Jenna n'était pas Joanna, que Joanna n'était pas Jenna, et que chacune de son côté menait une vie entièrement différente, l'une couchant des enfants dans des lits, l'autre roulant dans sa voiture vers un appartement crème.

Jenna expliquait cela à son mari. Son mari n'était pas d'accord. Il disait que ce n'étaient que des histoires de jalousie. Ces bulles étaient des excuses. Jenna soutenait le contraire : les bulles étaient importantes. Elle-même devait faire attention de ne pas s'adresser à Joanna Fortaggi, faute de quoi leur différence serait abolie. Heureusement, pour Jenna ce n'était pas difficile : Joanna était irascible. Elle n'était pas agréable.

19.

Joanna Fortaggi vivait avec son mari et ses trois enfants. Le premier enfant était assez grand, il avait dépassé les âges où l'on aime être cajolé par sa mère. Le deuxième enfant était le préféré de Joanna. Il était tendre et paisible. Le troisième était tout petit. Il ne marchait pas vraiment.

Quand elle n'était pas dans les studios, Joanna passait son temps avec sa famille. Il était difficile de savoir quand elle faisait ses livres. La famille de Joanna se tenait principalement au salon, qui était la pièce la plus vaste. La famille pouvait se retrouver fortuitement dans la cuisine, mais cette pièce avait été conçue pour deux adultes. Joanna déplorait ce fait: le salon était vaste, et la cuisine toute petite. Que pouvait-il bien passer dans la tête des architectes au moment où ils concevaient les salons et les cuisines?

Son mari lui disait de mettre cette chose dans ses livres. C'était une réponse toute faite. Après cela en général il commençait à parler de façon ciblée et précise. Le mari de Joanna avait bien sûr un travail qui l'éloignait durant la journée. Il travaillait beaucoup. Cependant, comme son poste était situé en haut de l'arbre et comme ses horaires de bureau étaient combinables, il était fréquent qu'il rentre l'après-midi avec des dossiers à la maison. De la sorte, il restait proche des enfants.

À côté de son travail, le mari de Joanna était un peu musicien. Il conservait dans son oreille une multitude de sons, grâce auxquels il pouvait reconnaître et capturer toutes sortes de mélodies. Joanna en le rencontrant avait été enchantée par ce don.

Le dimanche, Joanna restait avec son mari. Ils étaient rarement seuls. Au mieux, ils avaient un corps ou un autre sur les genoux. Au pis, ils gonflaient des dizaines de ballons ou tentaient d'échanger des informations sur la semaine à venir, au travers des piaillements de trois petits monstres.

Le mari de Joanna ne savait pas grand-chose de ses livres. Il savait que Joanna y consacrait du temps. Il supposait que ce devait être dans la matinée, et encore, il n'en était pas sûr. Depuis qu'il avait découvert Joanna dans la salle de bains avec son écran, une nuit où il avait bu trop de thé, il ne faisait plus de projections. Il avait simplement émis le souhait de rester en dehors de tout ça. Tous les dix-huit mois, ou périodiquement, un livre de sa femme apparaissait dans les magasins. Le mari de Joanna voyait son nom. Joanna passait à la télévision. Les enfants hurlaient quand ils reconnaissaient le visage de leur mère et le mari de Joanna n'entendait pas très bien ce qu'elle disait.

Joanna était une belle femme. Il ne fallait pas l'importuner. Elle n'était pas à prendre avec des pincettes. Elle était soudain emportée. Son mari n'y comprenait rien. Joanna était sensible aux petits détails. Il fallait rester sur ses gardes. Il fallait progresser sur du velours quand on voulait parler d'elle. Joanna était un peu à cheval sur les adjectifs. Son mari évitait les compliments, parce que Joanna y trouvait toujours quelque chose à redire et les mots doux étaient transformés en querelle.

Les livres de Joanna étaient tous présents dans le salon. Les éditions originales faisaient une rangée sage et multicolore, tout en haut de la bibliothèque. Cette bibliothèque fermait à clé. Les livres étaient vus à travers les carreaux fumés et finement bullés de sa vitrine. C'était Joanna qui l'ouvrait, quand elle recevait une visite ou quand une de ses amies qui voulait la flatter réclamait de voir ses livres.

Lorsque le cas se présentait, Joanna alors se levait et se dirigeait, les pieds déchaussés, vers la bibliothèque. Tournant le dos à l'invitée elle faisait jouer la clé et s'élevait sur la pointe des orteils. Son bras était bien tendu. Sa main devant la rangée hésitait : elle se promenait vers la gauche, où étaient rangés trois livres verts dans un camaïeu précis qui aurait permis à Joanna de voir tout de suite si l'un des volumes avait été déplacé. Sa main revenait vers le centre. Joanna posait deux doigts sur le dos d'un livre qui était un peu plus haut que les autres. Sa main revenait vers la gauche pour se poser sur le dos d'un livre jaune dont les lettres du titre étaient un chouïa malhabiles. Ce livre était sa première œuvre. C'était toujours celui-ci que Joanna se décidait à descendre de l'étagère pour le déposer sur la table, où il était ensuite retourné et admiré des dizaines de fois. Naturellement sans jamais dévoiler l'intérieur de sa couverture.

En dessous des éditions originales, la bibliothèque contenait les étagères des éditions de poche et des traductions. Celles-ci avaient moins de prix. Joanna Fortaggi les conservait tout de même, pour que ses enfants aient en mémoire et dans les yeux l'existence et la masse de ses livres. Ces livres-là descendaient jusqu'au sol. Ils étaient classés sans soin. Leurs couvertures désordonnées et leurs illustrations fantaisistes juraient avec les pastels et la discrétion de l'étagère supérieure. Car Joanna avait du goût. Jamais elle n'aurait permis que son éditeur colle des cuisses de femmes sur son livre, comme ce qu'elle pouvait constater sur certaines éditions nordiques.

À peu près une fois par mois, Joanna recevait un carton rempli de livres en langues étrangères. Elle ne lisait pas ces langues. Il fallait de l'imagination pour comprendre que les livres couverts de singes en tutus ou de poêles à frire étaient les reproductions asiatiques de son dernier roman. Les enfants naturellement étaient attirés par ces images. C'étaient ces livres-là qu'ils prenaient et avec lesquels ils voulaient jouer aux écrivains.

20.

Une loi faisait fureur sur les plateaux: la loi de la vérité. Cette loi disait que l'on pouvait tout se permettre au nom de la vérité. Les animateurs la brandissaient à la moindre résistance et c'était grâce à elle qu'ils pouvaient amener Jenna Fortuni sur la question des enfants. Les animateurs appréciaient l'existence d'enfants. C'était une valeur-refuge, qui était estimée diversement selon les sexes. Jenna avait observé que les invitées dans les émissions évoquaient spontanément leurs enfants. Le temps moyen qu'il fallait à une invitée à qui l'on donnait la parole pour mentionner sa progéniture était de trois à quatre minutes. Jenna l'avait calculé.

Les enfants étaient convoqués autour de leurs mères, sans pour autant être présents. Ces enfants-là étaient de toute façon adorables et les invitées-mères en étaient renforcées au niveau des épaules et de la poitrine. Leurs bustes doublaient de volume. Le torse de Jenna pour sa part était une combinaison simple de muscles, d'os et tendons. Il paraissait deux fois plus maigre que celui des écrivaines ayant appelé en renfort leurs enfants.

Maintenant c'était une nouvelle émission, et c'était de nouveau le tour de Jenna Fortuni. Madame Fortuni, disait l'animateur en se tournant jambes croisées vers

Jenna et voulant signifier par le *Madame* que Jenna était mariée. Je crois savoir que vous n'avez pas d'enfants?

Jenna laissait sortir un non bref, qui sonnait un peu étranglé. Non, en effet, Jenna n'avait pas d'enfants. Et comment vivez-vous cela? enchaînait l'animateur en amorçant un léger froncement de sourcils qui pouvait encore se terminer dans l'apitoiement ou l'approbation, suivant la réponse qui devait tomber.

Jenna connaissait la bonne réponse. La bonne réponse était de dire qu'elle regrettait l'absence d'enfant et que son mari et elle-même mettaient en œuvre tout ce qui leur était possible pour avoir un jour un enfant. Cette réalité était dure, mais d'un autre côté ce n'était rien en comparaison de ce qui pouvait toucher d'autres gens dans la pauvreté ou la maladie. Il manquerait certes toujours quelque chose au cœur d'une femme n'ayant pas d'enfant, mais pour sa part Jenna devait s'estimer heureuse d'avoir l'art et la création. Une création, certes, d'un autre genre, mais qui pouvait presque combler ce manque.

Jenna débitait ces mots sans bredouiller. Elle donnait une réponse parfaite. L'animateur était à court d'arguments. Il consultait rapidement sa fiche, sur laquelle au crayon léger étaient écrits les deux noms: Jack et Pam.

Mais vous avez Jack et Pam! s'exclamait-il avec deux secondes de retard et un sourire réconfortant.

Jenna le maudissait intérieurement. Elle n'aimait pas Jack et Pam. Elle savait qu'elle devait en dire le contraire de ce qu'elle pensait: que ces enfants étaient marrants, qu'ils lui tenaient compagnie, qu'ils étaient presque comme des vrais et que chaque soir elle leur disait bonne nuit. Au lieu que, en réalité, quand son mari était à l'étage, elle tirait les rideaux sur eux.

L'animateur avait remarqué cette hésitation. Son instinct l'obligeait hélas à foncer dessus : Madame Fortuni, excusez-moi d'insister, mais nous aimerions vraiment connaître la vérité : pourquoi avoir pris chez vous ces deux stickers ? demandait-il en appuyant sur le mot *sticker* qu'il faisait claquer comme quelque chose de vulgaire et de bon marché.

Jenna n'avait encore jamais reçu de question aussi directe à propos des stickers. Elle espérait de toutes ses forces que son mari ne soit pas en ce moment devant son écran. De toute manière il était trop tard. Si son mari ne voyait pas l'émission ce soir-là, il pourrait bien la visionner le lendemain, dans quarante jours ou deux cent vingt-sept mois, ou en recevoir la copie automatique sur son écran, si invincibles et tenaces étaient devenues les images. Un spécialiste Honoris Causa n'avait-il pas dit que les images étaient sur le point de prendre l'ascendant ?

Jenna se raclait la gorge. Il était urgent de répondre, sans quoi l'animateur s'engagerait dans la brèche plus avant et elle serait obligée de livrer des éléments enfouis encore plus profond. Jenna baissait les yeux sur ses mains et prenait l'air d'une femme qui avoue quelque chose qu'elle aurait préféré ne pas avoir à dire, mais dont elle serait dans le fond soulagée et reconnaissante de pouvoir se libérer. Elle ouvrait la bouche.

Eh bien, disait Jenna Fortuni en relevant ses yeux pile dans la pupille de la caméra 1, oui, c'est vrai, mon mari et moi-même avons un peu souffert de notre manque d'enfants. Jenna racontait alors comment ils avaient tous les deux consulté une spécialiste. Le mari de Jenna surtout était affecté. Cette spécialiste était merveilleuse et c'était elle qui leur avait soufflé cette idée des stickers. Tout à coup, Jenna et son mari s'étaient aperçus qu'ils n'étaient pas les seuls et que beaucoup de maisons de leur quartier arboraient des stickers. Cela avait été réconfortant. Jenna concluait en disant que le nombre de couples en manque d'enfants était impressionnant.

Ces mots avaient des accents de vérité. Mais Jenna avait un peu arrangé son histoire. En as de la télé et des plateaux, elle savait qu'il n'y avait rien de plus définitif et de plus convaincant qu'une fable. L'animateur posait encore deux questions sur Jack et Pam (quels étaient leurs caractères, est-ce qu'ils faisaient des bêtises), sur lesquelles Jenna de bonne grâce rebondissait, et le générique de fin closait l'émission en beauté.

Plus tard dans la soirée, Jenna rentrait à tâtons chez elle. Allumer une lampe aurait réveillé l'oiseau. Elle enlevait ses chaussures dans la pénombre. Un carré de lumière apparaissait en haut des escaliers. Jenna voyait le buste de son mari penché à la porte de son bureau. La tête inclinée vers le noir, il lui demandait pourquoi elle avait raconté toutes ces idioties sur les stickers.

21.

Des émissions étaient aussi enregistrées en journée. Joanna rentrait à la maison avant ses enfants. Elle faisait une lessive ou discutait avec son amie en Chine, ou se promenait sur son écran. Les enfants rentraient de l'école. Son mari arrivait avec le troisième enfant qu'il était allé chercher chez sa mère de jour. Joanna faisait du thé et du chocolat. Son fils aîné rédigeait une page d'encyclopédie sur l'écran. Puis, ayant prouvé par D moins C à sa mère qu'il n'avait pas besoin de manger, il s'enfermait dans sa chambre. Le fils cadet l'appelait en martelant contre sa porte.

Les mercredis après-midi, Joanna refusait les enregistrements. Elle voulait être avec ses enfants. Elle les regardait jouer sur le tapis. Ce tapis était très épais. Il avait coûté une fortune. Joanna l'avait fait faire sur mesure. Dans l'espace immense du salon, les plus grands tapis du commerce auraient ressemblé à des confettis. Joanna avait voulu son tapis bien doux et matelassé, pour le confort des enfants.

Les enfants jouaient aux écrivains. Le petit moment où Joanna était à la salle de bains, ils en profitaient pour tourner la clé et fouiner dans la bibliothèque. Joanna arrivait à temps. L'aîné, monté sur une chaise était déjà en train d'ouvrir un livre et de mettre le doigt dedans. Et pas dans n'importe quel livre : dans une édition originale. Son fils aîné demandait à Joanna pourquoi ils ne pouvaient pas prendre ces livres et quelle était cette odeur qu'il y avait à l'intérieur. Joanna expliquait que c'était une odeur qu'on appelait : renfermé, et que les livres n'étaient pas des jeux pour les enfants.

Devant l'insistance de ses fils, Joanna comme d'habitude finissait par céder. Elle leur permettait de jouer avec deux éditions de poche. L'une d'entre elles était une traduction de son premier roman en hindi. Il y avait un éléphant en patins à roulettes sur la couverture. L'autre était en croate, ou en norvégien. Joanna se fichait des langues. La chose qui la dérangeait était les images. Sur celui-là, on voyait une branche.

Il était amusant pour Joanna de regarder jouer les enfants. Surtout quand ils jouaient aux écrivains. Le fils aîné faisait l'écrivain. Il restait assis en tailleur sur le tapis. Le cadet faisait l'animateur. Il examinait les deux livres. Puis il demandait à son frère comment s'appelait l'éléphant de la couverture et pourquoi il faisait du patin à roulettes.

22.

Le mari de Joanna lui offrait trente amis pour son anniversaire. Joanna disait qu'elle en aurait préféré cinq et passait dans la salle de bains. Les amis allaient arriver et son image allait circuler sur tous les écrans.

Sélectionner des amis, pour le mari de Joanna, n'avait pas été une mince affaire. Il y avait tellement d'amis. Leurs catalogues étaient si nombreux. Les amis couvraient des infinités d'écrans. Et tous avaient l'air plus excellents les uns que les autres. Le mari de Joanna n'avait aucune expérience en matière d'amis. Il avait d'abord perdu son temps à passer en revue des kilomètres d'écrans et d'écrans, où les images calibrées des amis étaient toutes également engageantes. Afin d'affiner son choix, il avait alors décidé d'écarter d'emblée les amis présentant plus de deux paramètres. Il avait écarté aussi les amies brunes. Il avait écarté les amis dont le visage n'était pas rasé ou dont le visage était couvert d'un tissu ou dont on apercevait les parties génitales. Il avait écarté les animaux. Il avait écarté les noms trop bizarres. Il avait écarté tous ceux qui n'étaient pas souriants, qui ne disaient pas ce qu'ils aimaient ou qui l'expliquaient avec trop de mots ou en utilisant des termes qui s'éloignaient des expressions en usage. Ce que le mari de Joanna désirait, c'était sélectionner les amis les plus basiques et joyeux de vivre.

Cela n'avait servi à rien. Malgré sa sévérité, le mari de Joanna en avait toujours eu sur les bras cinq ou six millions. Finalement il s'était résolu à lancer trois moteurs de recherche, qui n'étaient jamais revenus. En désespoir de cause, et l'heure de l'anniversaire approchant, le mari de Joanna s'en était enfin remis au hasard. Après tout, il n'avait jamais eu à se plaindre de sa bonne étoile. Il avait donc lancé la Roulette-à-pirouette-chance et trente-quatre amis sélectionnés et triés sur le volet étaient tombés dans son escarcelle.

Les amis s'étaient tous dépêchés de venir. Les amis venaient quasiment toujours. Même s'il leur fallait prendre le bateau. Même s'il leur fallait prendre l'avion. C'était ce qu'il y avait de bien avec les amis. Ils étaient toujours présents et solidaires. Ils ne faillaient jamais à leur mission. Ils savaient ce que signifiait l'engagement. Ils savaient ce qu'était l'amitié. Ils étaient pétris d'humanité. Oui, on pouvait vraiment se fier à ces catalogues.

Les amis étaient arrivés. L'anniversaire avait commencé. L'image de Joanna circulait dans toutes les maisons, sur tous les écrans. Joanna était vue entourée de ses trente ou trente-quatre amis, buvant le champagne à la perfection. Les amies commandées par le mari de Joanna étaient particulièrement bien. Joanna avait envié leurs épaules et leur façon de dérouler verticalement le bassin comme des serpentes.

Les jours suivants, quand Joanna reparlait de l'anniversaire avec son mari, tous deux étaient d'accord pour dire que le moment le plus joli était celui où les amis étaient venus embrasser Joanna, avec un petit mot. Le thème de l'anniversaire avait été la gent serpentine. Joanna et son mari riaient en découvrant les langues tirées sur la plupart des images. J'aime bien celle-ci, disait son mari en désignant du doigt une image sur laquelle on les voyait en compagnie d'une amie. Comme Joanna, il préférait les images où l'on voyait des amies se trémoussant par grappes de cinq. Leurs habits étaient de matières brillantes adhérant à leurs corps de lianes. Bien que la métaphore soit éculée, Joanna se joignait à lui pour parler de minces corps de lianes.

Joanna et son mari examinaient les images : ces amies-là hélas n'étaient déjà plus visibles. Du reste, leurs images étaient en train de se perdre dans quantité et quantité d'autres images de fêtes et d'anniversaires, et Joanna et son mari les regardaient disparaître à regret.

23.

Joanna Fortaggi affectionnait les robes arrivant à la hauteur du genou. Elle avait le même modèle en six teintes. Elle ne craignait pas de porter plusieurs fois la même tenue devant les caméras. Cela la différenciait des actrices. Ces robes étaient pincées sous la poitrine et s'évasaient légèrement. Elles pouvaient créer l'illusion que Joanna Fortaggi était légèrement enceinte. Les animateurs y étaient habitués, mais il se trouvait toujours des novices pour tomber dans le piège. Joanna à leur question, rosissante, disait qu'elle n'était pas en espérance, mais que cette éventualité serait toujours accueillie avec joie. Grâce à ces robes, elle marquait des points sur Jenna, qui ne pouvait pas attirer l'attention sur son utérus.

Tout n'était pourtant pas idéal pour Joanna avec ses enfants. Comme toutes les mères du monde, elle se faisait du souci. Il pouvait arriver qu'elle ne réussisse pas à dormir la nuit. Son mari lui avait interdit de penser aux enfants au moment de se mettre au lit. Son fils aîné principalement était à l'origine de ses inquiétudes. Ce garçon s'était transformé en chenapan, cela même aux yeux de sa mère. Joanna le distinguait clairement et n'avait plus peur de le dire : son aîné était devenu un chenapan. Depuis que cet enfant avait obtenu pour son anniversaire de se faire greffer une puce sous la peau, il ouvrait et refermait les stores par la seule force de sa volonté. C'était désormais le quotidien pour Joanna: son fils aîné allumait le four avec sa puce et négligeait de l'éteindre. Le plafonnier était sans cesse allumé et éteint, rallumé, réteint, avec sa puce. Un incendie commençait, à cause d'une plaque de cuisine. Cependant le garçon jurait qu'il n'y était pour rien et qu'il mettrait le feu pour de bon s'il sentait de la méfiance. Le chauffe-eau un soir était éteint et il s'avérait impossible de le faire repartir. La puce éteignait les écrans au moment où le présentateur annonçait les pronostics fiscaux. Les petits cheveux de l'enfant étaient vigoureusement tirés sur sa nuque. Mais le garçon au bandeau de pirate persistait, disant qu'il cesserait ses actes lorsque seraient greffées sous sa peau davantage d'options.

Le soir, quand les garçons étaient couchés, Joanna sur l'écran discutait avec son amie chinoise. Son amie promenait son écran et Joanna avec elle se promenait dans une campagne. Le service de traduction, comme depuis l'origine du monde, n'était pas au point, et Joanna et son amie s'amusaient des multiples incohérences. Joanna disait quelques mots à son amie. L'amie s'esclaffait à pleines dents et Joanna comprenait que la traduction avait encore fait des siennes. L'amie se tournait vers Joanna. Lapin vers toi, disait-elle. Il était difficile de converser avec cette amie. Mais Joanna l'avait déjà rencontrée plusieurs fois et une séparation aurait été regrettable. Peut-être les services de traduction, comme toute chose, allaient-ils faire des progrès géants, afin que Joanna puisse bavarder librement avec ses contacts. Le mari de Joanna se montrait sceptique. Babel, disait-il, n'était pas un vain nom, et il citait de mémoire la Bible, suscitant l'étonnement chez Joanna et à la fois un sentiment de mal-être et de déception.

24.

Jenna Fortuni était invitée dans une émission de Grande Variété. Elle n'aimait pas spécialement le genre, mais c'était en même temps les émissions où elle pouvait le mieux se reposer. Il n'y avait vraiment rien à dire. Dès son arrivée, Jenna était prise en charge par une assistante qui la débarrassait de son manteau et l'amenait chez la costumière, qui lui remettait une tenue exactement assortie à son teint et à sa fonction. Puis elle était conduite par ascenseur chez la maquilleuse, qui avait travaillé à Rio, et chez la posticheuse, qui avait également travaillé avec des écoles de samba. La pose des faux cils prenait du temps. Il fallait venir en avance. Enfin Jenna était conduite dans l'antichambre du studio où lui étaient servis petits-fours, mousseux, toasts, verrines, crèmes, tout cela de piètre qualité et superbe. Au moment de faire son entrée, Jenna se voyait remettre par l'assistante une pochette à l'intérieur de laquelle il y avait son livre.

Jenna Fortuni faisait son entrée sur le plateau. Elle n'avait pas entendu ce que l'animateur venait de dire, mais ce devait être élogieux, à en croire les applaudissements et les cris préenregistrés qui tombaient de l'amphithéâtre. L'animateur accueillait Jenna Fortuni et la faisait asseoir près de lui et des autres invités. Il lui demandait si elle allait bien. Jenna en principe devait répondre oui. Il lui demandait ce qu'elle avait apporté avec elle et Jenna pouvait montrer son livre. Les caméras zoomaient sur lui. L'animateur demandait à quelle date le livre était apparu. Ensuite d'autres invités faisaient leur entrée et l'émission proprement dite pouvait commencer.

Joanna Fortaggi était assise non loin de Jenna Fortuni, à une extrémité du plateau. Elle avait dû arriver bien avant Jenna. Jenna la regardait du coin de l'œil. Un col dressé en plumes d'autruche enfermait la tête de Joanna dans un éventail majestueux. Les plumes blanches et longues ondulaient au moindre pivotement de sa tête. La posticheuse avait collé un peu trop de brillants sur la pommette de Joanna. Jenna se demandait de quoi elle-même avait l'air. Elle avait bien fait de ne pas accepter les plumes. Pour apercevoir les autres invités Joanna Fortaggi, la tête droite, était obligée de faire pivoter tout son buste.

À ce moment et pour la première fois de leur vie, les regards de Jenna et de Joanna se percutaient. C'était la faute de Jenna. Elle s'ennuyait tellement qu'elle avait oublié que ses yeux étaient posés dans le vague sur le visage de Joanna Fortaggi. Celle-ci soutenait son regard. À travers les faux cils épaissis de paillettes, les yeux de Joanna flamboyaient, étonnamment veloutés et profonds. Jenna Fortuni était surprise. Elle n'aurait pu dire ce qu'elle y voyait, mais elle était impressionnée de tout ce qu'ils contenaient. Embarrassée, elle détournait le regard et se concentrait sur la discussion.

L'animateur était en train de présenter une poignée de téléspectateurs à qui l'on avait fait l'honneur d'être acceptés sur le plateau. Ils étaient sur le point d'être livrés à un spécialiste. Les téléspectateurs souriaient, figés sur leur canapé. Ils avaient été sélectionnés d'après leur aspect et leur capacité à représenter certains phénomènes. Après les avoir alternativement rudoyés et baratinés, l'animateur les invitait tout à trac à s'exprimer. Les téléspectateurs, un à un, s'exécutaient. La mise en scène était bien réglée. L'animateur disait son texte et les quidams invités n'avaient qu'à placer dans les trous les réponses qu'ils avaient apprises. L'une d'entre eux témoignait : elle présentait certains troubles. Le spécialiste invité sur le plateau lui démontrait que c'était normal, un pourcentage des téléspectateurs présentant exactement les mêmes dérangements. À l'invitation de l'animateur, un deuxième téléspectateur racontait qu'il vérifiait quatorze fois si la porte avait été bien fermée, faute de quoi c'était lui qui ne pouvait pas fermer l'œil. Tout cela n'était pas bizarre. Le professionnel expliquait que ce type de comportement était décrit depuis des dizaines d'années sur les écrans, et cet homme allait bien devoir finir par reconnaître qu'il était normal.

Ensuite, la question de la solitude, chez une jeune fille. À qui le spécialiste répondait que c'était commun, quinze millions de personnes vivaient conjointement le même sort. La jeune fille une fois consolée, un téléspectateur appelait en direct pour lui proposer le marché de passer la nuit dans son lit en échange d'une heure de secrétariat. La jeune fille acceptait. L'animateur jubilant suggérait qu'ils envoient des images de leurs effusions.

Un people voulait rebondir. Plusieurs people rebondissaient et la cacophonie était à son comble. L'animateur rebondissant demandait un peu de silence, tout en laissant sous-entendre que la réussite de l'émission était responsable de la foire d'empoigne.

25.

Jenna était une âme solitaire. Elle n'avait qu'un ami. Bien sûr c'était Larsen Frol. Les instants où elle n'était pas seule dans son bureau et où elle n'était pas sur les plateaux, Jenna les passait avec lui ou avec son mari.

Avec Larsen, on ne savait jamais ce qui pouvait arriver. Larsen pouvait sonner tous les jours à la porte de Jenna et s'attarder des heures, de sorte que Jenna pouvait avoir l'impression qu'il vivait chez elle et de sorte que son bavardage pouvait finir par la fatiguer. Mais Larsen pouvait tout à coup se révéler fuyant et insaisissable et envoyer des messages de n'importe où sur l'écran. Ou pas du tout de messages. Larsen pouvait partir seul ou avec une créature dont Jenna devait deviner l'existence. Ou peut-être les deux à la fois. Larsen pouvait être comme Jenna l'avait toujours connu. Ou complètement autre. Ou encore différent. Ou encore le même et soudain différent. Jenna supposait que cela amusait Larsen de ne pas décider comment il voulait être.

Toujours était-il qu'en général Larsen se présentait sans prévenir à l'appartement de Jenna et de son mari. Jenna le faisait entrer. Comme d'habitude, Larsen se mettait tout d'abord à jouer et à roucouler avec l'oiseau. Jenna devait patienter. C'était devenu rituel : Larsen en entrant abordait l'oiseau avec un long sifflement. L'oiseau sautillait de droite et de gauche et lançait en roulant le *r*: salut l'écrrrrivain. Larsen en riant le saluait et l'oiseau disait des mots dans une langue que Jenna ne comprenait pas. Jenna faisait semblant de rire. Mais dans le fond elle était légèrement vexée de ne pas connaître cette langue. Peut-être était-ce de l'italien ou de l'occitan.

C'était quelque chose d'énervant et d'impossible à changer : l'oiseau jouait avec Larsen, mais une fois seul devant Jenna il lui tournait le dos. Jenna avait échoué à nouer des liens avec lui. L'oiseau était d'une espèce qui pouvait parler. Mais aucun mot, en la seule présence de Jenna ou d'Éden Fels, n'était jamais sorti de son petit corps. Uniquement de puissants sifflements. Jenna pourtant se donnait du mal pour nettoyer les débris que l'oiseau projetait journellement autour de sa cage. Le mari de Jenna de son côté se dévouait pour éponger les flaques quand l'oiseau voulait prendre son bain. L'oiseau se baignait des heures entières comme un bienheureux, en éclaboussant le sol autour de la cage, jusqu'à ce que la baignoire soit vide. Après cela il remontait en sifflant sur son perchoir.

Quand les échanges de Larsen avec l'oiseau étaient terminés, Jenna pouvait l'emmener et l'asseoir sur le canapé. Larsen avait toujours quelque chose de crucial à communiquer. Il parlait d'abondance. Il se rendait compte qu'il n'était pas venu chez Jenna depuis bien longtemps. Il avait travaillé comme un dingue. Il avait peint et peint et encore peint, jusqu'à en avoir le vertige. Une fois, Larsen avait failli y rester. Il faisait voir à Jenna les contusions que lui avait values une chute, quand sa nacelle de peintre avait basculé. Les côtes de Larsen s'étaient peut-être cassées. En tout cas il n'avait pu ni rire ni éternuer pendant des semaines.

Larsen aimait évidemment parler de la méthode de composition dans l'espace qu'il avait eu la fantaisie de développer. Il avait des idées de chorégraphies et d'installations dynamo-pyro-culinaires, qu'il n'avait pas encore eu le temps d'expérimenter. Mais le sujet favori de Larsen était tous ces changements qui étaient survenus dans la composition des livres. Ils le rendaient enthousiaste. Sur le sujet, Larsen était intarissable. C'était un grand progrès que ces nouvelles banques d'expressions qui venaient d'être ouvertes. Auparavant l'effort avait été rude de devoir assembler soi-même tous les mots un par un. Mais voilà que cet effort était devenu obsolète: grâce aux nouvelles banques d'expressions, le travail et la peine étaient réduits. À l'heure qu'il était, plus personne n'avait besoin de composer son propre jet. C'était du passé tout cela. Le principe était tout simple: au lieu de progresser du début à la fin, les auteurs qui désiraient composer des livres n'avaient qu'à choisir parmi les combinaisons de mots répertoriées dans ces banques. Quand le nombre d'expressions récoltées leur semblait suffisant, les écrivains pouvaient alors faire leur livre. Larsen détaillait les avantages de cette création: il était ainsi beaucoup plus facile de composer.

Éden Fels, descendu de son bureau pour discuter littérature avec eux, écoutait Larsen avec passion. Il pensait lui aussi que les banques de phrases étaient révolutionnaires. Elles constituaient un immense pas en avant. Et il ne serait plus jamais possible de revenir en arrière. Les assemblages de mots étaient enfin tous connus, et visibles, noir sur blanc. Ils étaient enfin tous à disposition. Les écrivains n'avaient désormais qu'à puiser dans ces nouvelles banques. Il n'était plus nécessaire de se creuser la tête pour trouver de belles expressions. Il n'y avait qu'à se pencher sur son écran pour les passer en revue et choisir les combinaisons qui paraissaient adéquates. Il s'agissait à présent de sélectionner et de faire simplement son marché.

Et à Jenna qui soutenait que ce n'était tout de même rien d'autre que toujours des compilations, Éden Fels et Larsen Frol faisaient la démonstration du contraire, en lui faisant voir sur leurs écrans comment recadrer les expressions ; comment éclaircir ou assombrir les enchaînements ; comment préciser ou estomper la phrase ; comment déformer ou reformer, jusqu'à obtenir l'effet exactement souhaité. Pour peu, naturellement, que l'on ait eu une idée de l'effet qui était exactement souhaitable.

26.

Entendre une parole fraîche et neuve n'était pas fréquent. Quand une telle voix s'élevait sur un plateau, les poils de tous les bras se redressaient. Pour cette raison, les animateurs travaillaient vêtus de vestes à longues manches et chemises boutonnées jusqu'à la pomme d'Adam. Les animatrices, n'ayant pas de poils, pouvaient travailler en décolleté.

Quand une parole fraîche et neuve dans un studio de télé se faisait entendre, la luminosité se modifiait. La lumière des spots se diluait et semblait atteindre partout la même densité. Il n'y avait plus vraiment d'ombre. Le public présent sur le plateau était lui-même éclairé. L'animateur n'était plus au centre. Soudain il semblait que l'on remarquait nettement tous ces câbles et toutes ces machines. Le cameraman était déphasé. Il se tirait en arrière. Il regardait le plateau directement et non plus à travers le viseur de sa caméra.

Jenna n'avait jamais vécu une telle scène dans un studio. Elle se souvenait seulement d'avoir un jour capté une voix fraîche sur un écran. Une voix fraîche et vraie disait les choses d'une façon que tout se mettait à vivre. Les mots qu'elle transportait étaient tout de suite en trois dimensions. Une voix de ce genre parlait depuis la racine. Certes, l'élocution était hésitante et il pouvait se faire pour cette raison que des gens ne remarquent pas que la voix était nouvelle. Ils s'arrêtaient à la grammaire. Une voix fraîche par définition était rafraîchissante. Elle faisait tourner un robinet.

Jenna entendait dans les micros les accents de sa propre voix. Ils n'avaient rien de frais ni de réveillant. Sa voix glissait, trop rapide. Bien sûr Jenna aurait aimé faire entendre une de ces paroles fraîches et vives. Pour cela, il aurait fallu du courage. Il aurait fallu se mettre à parler et à dire des phrases que Joanna Fortaggi auparavant et aucun écrivain, aucun artiste, aucune star, n'avait déjà prononcées. Des phrases que la romancière Jenna Fortuni serait la toute toute toute toute première à dire.

Sensation plus que vertigineuse. Jenna Fortuni ne pensait pas qu'elle oserait. Elle aurait l'air ridicule. Les gens avaient toujours l'air ridicules quand on ne s'attendait pas à ce qu'ils disaient. Quand ils sortaient de leurs rôles, ils devenaient ridicules. Jenna était bien dans son rôle. Ce rôle était en béton. Jenna ne pensait pas qu'elle pourrait supporter de voir les gens se pincer le lobe de l'oreille en l'écoutant, tout en jetant autour d'eux de petits regards amusés.

Aux premières secondes de leur rencontre, Jenna avait pu penser que Larsen Frol pouvait produire ce genre de parole fraîche et vivante. Elle avait cru en percevoir les accents dans ses premières syllabes. Ces accents s'étaient dissipés. Larsen Frol n'était quand même pas si intrépide. Il pouvait pourfendre les animateurs et s'agiter comme un beau diable sur son tabouret, du moment que sa blouse blanche bouffait comme celle d'un toréador et que ses cheveux volaient. Lui non plus n'aurait sûrement pas eu le cran de prononcer des phrases neuves. Ces phrases auraient dégonflé sa blouse et aplati ses cheveux. Les animateurs et le public auraient oublié sa blondeur pour se cramponner à ses mots. Larsen était éblouissant, mais il y avait tout de même un cercle de feu à travers lequel même un jeune lion de la trempe de Larsen Frol n'oserait pas s'élancer.

Et, au fond d'elle, Jenna Fortuni se demandait si ce n'était pas à elle d'oser une de ces paroles. Son mari lui avait maintes et maintes fois raconté les deux ou trois occasions où la parole fraîche avait surgi dans un studio alors qu'il était présent. Il lui avait abondamment décrit son effet de douche fraîche. Jenna, à force, en était presque arrivée à en éprouver de la nostalgie.

27.

Joanna Fortaggi était au salon devant son écran. Elle s'entretenait avec son amie chinoise. Son fils aîné venait à elle. Il se frottait contre sa manche, ce qui faisait penser à un chat. De sa bouche sortait une impertinence. Une mélodie se faisait entendre. Il fallait quelques secondes à Joanna et à son fils pour comprendre qu'il s'agissait du signal de la porte d'entrée. Ces mélodies variaient de visite en visite, à l'infini. Elles étaient façonnées par algorithmes. Aucune d'entre elles ne retentirait une deuxième fois. Elles étaient uniques. Le mari de Joanna l'avait voulu et réglé ainsi, afin que ses enfants se rendent compte qu'un jour qui s'en va ne revient pas et que l'existence est à chaque minute différente et que le temps coule entre les doigts comme du sable et qu'une belle chose doit être appréciée et aimée sur-le-champ. Du reste, ces mélodies ravissaient l'esprit.

Le fils aîné de Joanna allait ouvrir. Un de ses amis entrait. Les deux garçons s'asseyaient sur le tapis. Joanna les observait de son fauteuil tout en gardant un œil sur la campagne chinoise, sa verdure, ses buffles, ses rizières et ses postérieurs dressés de repiqueuses de riz. Il était toujours amusant d'entendre raisonner ces jeunes garçons qui allaient encore à l'école. Leurs disputes et leurs joutes intellectuelles étaient charmantes. Joanna avait dit à son fils aîné d'en profiter, parce que, quand il serait grand, disait-elle, il ne pourrait plus citer ces philosophes à tout bout de champ. Il aurait l'air bête. Les gens viendraient lui demander ce qu'il voulait cacher là-dessous. On lui poserait immanquablement des questions. On le prendrait pour un désaxé et il recevrait un jour ou l'autre le conseil de se rendre chez un guérisseur.

Imagine un peu, disait Joanna à son fils aîné : par exemple, quand il serait grand, il se rendrait à un entretien d'embauche et au cours de cet entretien il se mettrait sans faire exprès à citer des paroles de théoriciens au lieu de ses propres mots. Il serait immédiatement refusé ! Ou s'il devenait écrivain et que, sur les plateaux, des citations de l'un ou l'autre penseur se mettaient à sortir de sa bouche. Il serait ridiculisé ! On le prendrait pour un faike ! Les faikes étaient ce qu'il y avait de plus bas sur la terre. C'était la lie de l'humanité. Ne jamais passer pour un faike, c'était un des principes fondateurs de l'éducation que Joanna donnait à ses garçons.

Son fils répondait toujours fièrement qu'il s'en fichait. Il voulait lire et relire des textes sur son écran et si possible les savoir par cœur. Joanna et son mari avaient beau savoir que ces comportements étaient de son âge, ils avaient un peu peur qu'à force de lectures leur fils aîné soit intoxiqué à vie. Beaucoup d'enfants s'intoxiquaient et ensuite c'était toute une affaire pour les faire revenir à eux-mêmes et à leur authenticité.

L'instructeur consulté l'avait confirmé : ce comportement était de l'âge de leur fils. Il ne fallait pas s'inquiéter. Il fallait lui donner beaucoup de matière et aller en chercher pour lui dans les caves. Leur garçon était pile à l'âge où se mesurer était important. Et à quoi servaient les citations et les connaissances, si ce n'était à se mesurer? Ensuite, naturellement, lorsque leur fils aurait compris ce qu'était sa valeur, comme tout adulte mûr et bien formé, il laisserait de lui-même tomber ces phrases mortes, comme une peau, et il entrerait d'un bon pied dans la vie active.

Pour l'heure, le fils aîné de Joanna en était encore à se bourrer la cervelle et à se disputer avec des concepts qui n'en valaient pas la peine. Il apostrophait justement son ami en citant un livre. Joanna se demandait bien où il était allé chercher ces bêtises. Elle décidait de ne pas intervenir. L'ami de son fils récitait: l'art est un objet. Il n'est pas un aliment. Le fils aîné de Joanna répliquait qu'il connaissait la citation. Il en avait une meilleure. Il citait un certain Ruke Raiss. L'ami répliquait avec un passage entier du Thorin et les deux enfants s'enfonçaient dans les disputes et les chamailles. Joanna avait mal aux oreilles. Elle était agacée. Toutes ces sornettes allaient finir par polluer la cervelle de son fils. L'instruction bien sûr c'était autre chose. Il fallait bien que les enfants apprennent à lire et à compter. Mais tous ces textes, franchement, quelle perte de temps! Quel bourrage de crâne! Quelle faikerie!

A l'expression du visage de son amie chinoise, Joanna comprenait que celle-ci tentait de la rassurer. L'amie disait que la même truc tout du tout était dans le nation mais aussi Chine. Sa petit très cultivé et maintenant trouver voie de se nettoyer. Sa descendante était réelle faike, presque aucune expectative de récupérer. Quelle couennerie avec tous ces petits, disait l'amie en souriant de toutes ses dents. Le service de traduction ce jour-là était exceptionnellement bon.

Joanna mettait de côté son écran. Son fils aîné voulait sortir. Il venait lui réclamer de l'argent. Sans doute pour aller traîner dans des brocantes. Ce garçon grandissait solidement. Il avait l'air terrible. Joanna craignait de devoir un jour l'affronter.

28.

Une émission n'était qu'une affaire d'équilibre. L'animateur pavoisait parce qu'ouvrant et fermant le rideau, il se croyait le plus important. Il faisait son petit roi, oubliant que les invités n'étaient pas venus pour lui. Les stars étaient rayonnantes, parce qu'elles voyaient bien que personne sur le plateau ne leur arrivait à la cheville, question coiffure, chaussures, vêtements, corps. Les people étaient excités. Ils pensaient qu'ils étaient enfin arrivés, quand ils n'avaient en réalité pas progressé d'un iota. Les artistes étaient dédaigneux et fiers de pouvoir le montrer. Les écrivains étaient calmes, parce qu'ils étaient sûrs qu'ils constituaient le morceau de choix au milieu de cette racaille. Et même le cameraman en son for intérieur pensait que tous ces gens sans lui auraient dû tenir leur petite réunion dans une cave. Chacun jouant ainsi son rôle et sa partition, il y avait peu de surprises. Les nouveautés et les changements étaient accueillis à bras ouverts. Oui, n'importe quelle apparition nouvelle était accueillie à grands bras ouverts. Et c'était le cas par exemple pour l'apparition du sixième livre de Joanna Fortaggi.

Joanna Fortaggi faisait apparaître son sixième livre. Cette fois-ci, les préparatifs avaient été bien cachés.

Personne, à part son éditeur, n'avait été au courant, et pas même Joanna Fortaggi. Cela avait été la stupéfaction quand son éditeur, au cours d'un repas au restaurant, lui avait annoncé au dessert qu'il ferait apparaître tout prochainement son sixième livre. Joanna avait reposé précipitamment sa tasse de café. Elle avait mis ses deux mains en coupe autour de ses joues et elle s'était exclamée dans le restaurant. Le patron était venu voir, et la cuillère à café avait fait une tache sur le pantalon de Joanna. À part cette tache, Joanna était plus que ravie. Elle n'avait pas pressenti l'apparition, et subitement cette dernière se produisait, par surprise. Joanna n'aurait jamais cru que le sixième livre arriverait aussi vite ! Le cinquième venait à peine d'être fait et elle tournait encore grâce à lui dans les émissions.

Son éditeur expliquait que c'était une stratégie en vue d'évincer la Fortuni. Il en avait assez de voir leurs noms toujours associés. Jenna Fortuni en profitait de son côté. Il désirait en finir.

L'éditeur ne disait pas à Joanna qu'il avait pensé dans un premier temps faire entrer Jenna Fortuni dans son écurie. Il avait fait faire des maquettes, dans lesquelles les livres de Jenna et de Joanna se seraient répondus de plusieurs façons, par exemple l'un constituant le pendant de l'autre et tous deux reprenant les mêmes couleurs et les mêmes motifs. Les couvertures de ces maquettes présentaient un visage reconstitué avec la moitié du visage de Joanna et la moitié du visage de Jenna, parfaitement réunis.

Ce projet, quand l'éditeur y repensait, n'était pas si bête. Il ne demandait qu'à mûrir un peu. L'éditeur le gardait au chaud dans sa manche, au cas où la situation le permettrait. Le visage constitué par les deux moitiés était prometteur. Et si l'éditeur s'avançait jusqu'au fond de sa pensée, il semblait mille fois plus porteur que le visage d'une seule pièce de Joanna Fortaggi.

Joanna et son éditeur se rencontraient régulièrement. L'éditeur l'invitait pour des déjeuners au terme desquels il réglait ostensiblement la note, avec un grand sourire. Il insistait pour que Joanna prenne encore un dessert, un tartufo ou un igloo au chocolat.

Cet éditeur était un professionnel. Lorsqu'il recevait Joanna dans ses locaux, il s'arrangeait toujours pour qu'un autre auteur passe par là. L'éditeur faisait les présentations. Il présentait Joanna Fortaggi en disant qu'elle était la meilleure auteure de tous les temps. Il présentait l'autre auteur en disant qu'il était le plus époustouflant depuis des décennies. Joanna et l'autre auteur, soupçonneux, se saluaient avec distinction. Ainsi l'éditeur gardait-il le contrôle de ses auteurs et attisait-il leur désir inextinguible de lui plaire.

29.

L'éditeur de Joanna Fortaggi était un homme sec et grand. Il n'entrait pas dans des palabres. Il donnait simplement son avis. Il était rusé comme un serpent et froid et calculateur. Mais peu de personnes le devinaient, dans la mesure où il parlait très peu.

L'éditeur faisait apparaître le sixième livre de Joanna Fortaggi. Le livre sortait le 10 août, à midi. Cette apparition était surprenante et prenait tout le monde de court. Le mari de Joanna n'y comprenait rien : le cinquième livre n'était pas encore bien installé dans les vitrines que le sixième s'y montrait déjà. Il semblait que c'était du gâchis, et de place et de temps. Joanna brûlait toutes ses cartouches et, faisant monter les enchères, elle s'exposait au danger de devoir à l'avenir sortir toujours deux livres à la fois, faute de quoi les critiques viendraient dire que Joanna n'était plus en forme, et toutes ces balivernes.

Joanna se contentait de rire. Elle rassurait son mari. Il ne devait pas s'inquiéter, son éditeur savait très bien ce qu'il devait faire. Son mari pouvait se réjouir. Joanna avait désormais six livres à son actif, et Jenna Fortuni n'en avait que trois. De plus, Jenna Fortuni n'avait pas d'enfants. Joanna était triomphante. Elle valsait avec son mari à travers le salon. Son mari était obligé de se laisser faire, jusqu'au moment où les enfants se joignaient à eux. Puis, une odeur ayant emprisonné l'air, le mari de Joanna s'éloignait en tenant à bout de bras le troisième enfant. Joanna de son côté se préparait à recevoir une journaliste pour une interview filmée, sur le thème : le sixième livre.

L'appartement de Joanna Fortaggi était bien connu des téléspectateurs. Elle recevait un courrier assez abondant lorsqu'elle en modifiait la décoration. Joanna avait déjà donné des interviews dans chacune des chambres. Elle avait fait parler ses enfants. Elle s'était mise en scène au lever du lit avec son mari et avait répondu aux questions des intervieweurs, les cheveux ébouriffés, sans maquillage. La caméra ensuite l'avait suivie jusqu'au rideau de douche. Joanna avait déjà répondu devant ses tableaux, assise devant son écran. Elle avait répondu tout en cuisinant des spaghettis polonaises. Le seul endroit pratiquement d'où elle n'avait pas répondu étant devant sa bibliothèque. Cette prise de vue ne se voyait plus guère : les écrivains préféraient être interviewés devant des stations-service ou des aquariums. Pourquoi en effet les écrivains auraient-ils dus être filmés, comme c'était le cas auparavant, devant une bibliothèque ? C'était de la publicité mensongère, dans le sens où il s'agissait la plupart du temps des ouvrages d'autres écrivains. Une telle mise en scène tendait à faire croire que l'écrivain avait fabriqué ces ouvrages et qu'il était à l'origine de tous ceux qui étaient visibles derrière son visage. Et cela n'était ni conforme ni honnête.

Joanna Fortaggi ne tenait pas du tout à être filmée devant sa bibliothèque. Même si les livres que celle-ci contenait étaient en principe les siens, bien que traduits dans toutes ces langues, montrer sa bibliothèque la mettait mal à l'aise. Une sorte de pudeur abstraite. Elle préférait grandement se faire filmer devant l'aquarium de son deuxième fils. Être filmée devant un aquarium était bien plus simple. Tout le monde pouvait voir immédiatement ce qu'il y avait dedans. On pouvait dire que c'était l'aquarium de ses enfants, et de là bifurquer sur le sujet rassurant et infini de la situation familiale.

La journaliste arrivait, avec l'équipe. Ces gens étaient comme chez eux ici. Le preneur de son disait que les enfants avaient bien grandi. Le cameraman allait chercher le cendrier dans le tiroir de la cuisine. La journaliste sortait le livre de son sac et elle disait à Joanna en plaisantant que le petit sixième était réussi.

Le sixième livre de Joanna était pour le moins surprenant. Il était couché dans un long carton gris. On aurait dit un carton à cierges. Quand on ôtait le couvercle, à l'intérieur le livre de Joanna était tout ce qu'il y avait de plus cramoisi. Cette couleur avait fait l'objet d'intenses discussions aux éditions. Elle avait été choisie particulièrement pour le fait que ce cramoisi était supérieur au rouge du troisième livre de Jenna Fortuni. Cramoisi était plus foncé, donc cramoisi faisait plus sérieux. Cramoisi avait plus de poids. Cependant cramoisi voulait dire que l'on n'abandonnait pas le terrain du rouge et qu'il n'y avait aucun problème à le disputer à l'écrivaine Jenna Fortuni.

30.

Jenna Fortuni entretenait peu de contacts avec son éditeur. Elle ne l'avait vu qu'une seule fois. Elle travaillait avec lui un peu comme avec une machine. En gros, elle recevait des instructions via son écran. Les dates de sortie et d'apparition lui étaient communiquées par ce biais-là. Si Jenna n'était pas d'accord avec ses choix, comme cela était déjà arrivé, l'éditeur était conciliant : il lui faisait savoir par message que le plus important était que Jenna soit en phase avec son livre et il acceptait sans autre ses propositions.

Au sujet du livre aussi, l'éditeur était très coulant. Jenna lui envoyait de la matière et lui faisait parvenir ses souhaits. Son éditeur fabriquait le livre. En général le résultat était très proche de ce que Jenna souhaitait. Il n'y avait donc aucun problème.

Jenna ne se rappelait pas les détails du visage de cet éditeur. Il l'avait reçue dans des bureaux qui étaient d'anciens entrepôts frigorifiques. Les éditions venaient de s'y installer et l'éditeur avait dit que les murs allaient être repeints. Il avait eu une expression au sujet de cette couleur blanche, quelque chose avec « chair de poule ». C'était un homme grand, dans la quarantaine. Il avait serré la main de Jenna en l'appelant Madame Fortuni.

Sa main était lâche et faible. L'éditeur était habillé sans soin, Jenna avait pensé : avec mauvais goût. Il portait un type de chemise que Jenna croyait révolu. Elle avait été aussi étonnée de découvrir que les meubles et les bureaux des éditions étaient semblables au mobilier qu'elle avait eu à l'école.

Quand Jenna y repensait et quand elle en parlait avec son mari, elle se disait que ce n'était peut-être pas son éditeur qu'elle avait vu. Une foule de gens était affairée dans ces bureaux. Le déménagement des éditions avait eu lieu la veille, les employés avaient l'air confus, et Jenna se rappelait l'attitude absente de l'éditeur quand il lui avait confié sa main faible.

Le mari de Jenna disait que c'était tout à fait possible. Lui-même avait fait trois fois le tour du monde des éditions. Il en connaissait un chapitre. Selon le mari de Jenna, il ne fallait pas s'attarder inutilement chez un éditeur. Un éditeur s'habituait, et au fil du temps il prenait moins de soin pour la qualité. Tandis qu'avec un auteur neuf, l'éditeur espérait toujours un miracle.

Trois livres de Jenna étaient apparus chez son éditeur. Son mari trouvait que c'était bien, mais maintenant le moment arrivait pour Jenna de réfléchir à un changement.

31.

Une star prenait la parole. Sa voix était feutrée et blanchie comme un vieil archet. Quand cette voix s'élevait dans un studio, un vide se creusait autour d'elle, qui était l'observation étonnée du passage de l'air sur ses cordes vocales. Le débit de la star était très lent. Il était étonnant qu'aucun des animateurs ne lui ait déjà coupé la parole. Cela était signifiant. Rien qu'à cela on pouvait comprendre qu'il s'agissait d'un de ces êtres hantant les plateaux, n'ayant plus rien à perdre et par conséquent plus rien à gagner non plus. Les mots de la star se détachaient. Ses phrases étaient longues, et elle ne semblait pas manifester le désir de se dépêcher. Elle était très vieille. Elle était souvent visible sur les écrans et pourtant certains téléspectateurs n'arrivaient toujours pas à déterminer son sexe. Les traits de son visage étaient au-delà de tout.

Cette star avait un long parcours derrière elle. Elle avait été piégée à plus de trois cents reprises. De cette star on avait montré tout, tout, tout, jusqu'au plus profond de ses entrailles. Des images de l'opération au cours de laquelle on lui avait ouvert l'abdomen avaient été diffusées au journal de vingt et une heures. Ses intestins avaient été filmés. Son côlon avait été vu sur les unes. Découverte, la star n'avait eu d'autre choix que de se retirer très très loin, là où nul zoom et nul objectif n'avaient d'accès. C'était de là qu'elle s'exprimait et qu'elle laissait à présent tomber ses paroles sur les plateaux. On la faisait venir dans des shows. Elle était l'invitée d'honneur. Elle s'exprimait en prime time. Elle était regardée comme un animal dans une cage, dont on pouvait admirer le pelage et croiser les yeux calmes et indifférents. D'un tel animal on aurait pu essayer en vain de capter l'attention. Il était royal et absent.

Depuis cette première affaire, les images d'opérations avaient commencé à se multiplier. Et une star qui s'endormait sur une table d'opération ne savait plus si elle pouvait faire confiance à l'équipe et au chirurgien. Qu'est-ce qui lui garantissait qu'elle n'allait pas être piégée et retrouver le lendemain en s'éveillant des images de l'intérieur de son corps sur les écrans ? L'insécurité, chez les stars, était un trait de caractère ordinaire. Les stars au début s'étaient protégées en s'entourant d'assistants. Mais ces gens-là aussi étaient corruptibles. La plupart des stars à présent commençaient, pour se défendre, à s'entourer d'objectifs. Sauf les plus vieilles, qui n'avaient pas réussi à s'adapter aux avancées de la technique et qui n'étaient même pas capables de déchiffrer un mode d'emploi.

Les stars qui se protégeaient avec des caméras voyaient gonfler leur aura. On avait encore plus envie de les voir piégées. Mais comment le faire davantage. On avait déjà montré leurs maisons, leurs poubelles, leurs relations physiques et leurs organes.

32.

Jenna Fortuni se rendait à une soirée chez des amis. Son mari avait refusé de l'accompagner. Il disait qu'il avait beaucoup à faire avec les nouvelles banques d'expressions.

Lors des soirées entre amis, les invités devaient écouter la musique avant de se mettre à table. Il était de bon ton de noyer les invitations dans des tonnes d'airs et de mélodies. Il ne serait venu à l'idée de personne de mettre des noms sur la musique. La musique était là, par nappes. On se vautrait dedans comme on se serait vautré sur des coussins ou dans la confiture. Dans ces moments-là, on riait beaucoup en pensant à ces temps passés où les gens avaient cherché à capturer la musique avec des dates et des titres. Les gens de ces époques-là étaient vraiment des crétins.

Au cours de la soirée, il se trouvait toujours un invité, se promenant sur son écran, pour rappeler une nouvelle fois en riant comment s'écoutait la musique dans ces anciens temps : la musique était divisée par disques. Les bandes avaient un début et une fin. On devait toujours mentionner de quels objets, moyens ou outils elle était issue. Il y avait des gens qui savaient par cœur le nom de la personne de laquelle la musique était venue. Comme si la musique pouvait provenir des gens ! À ce moment, tous les amis se tordaient de rire.

L'aberration avait été si loin, continuait de lire le convive sur son écran, que des gens avaient cru de leur devoir de répertorier ces segments. Ils leur avaient donné des numéros. Ils pensaient que c'était utile pour les reconnaître. Le principe était simple, s'exclamait un autre invité en haussant la voix : les gens de cette époque-là étaient pauvres. Ils aimaient déjà la musique. Ils imaginaient la retenir chez eux avec des inscriptions ! Ils étaient allés jusqu'à utiliser des noms de personnes et d'instruments. Ces pauvres gens devaient croire qu'ils possédaient ainsi la musique !

C'était tout de même très primitif, murmurait une connaissance de Jenna, qui avait pris depuis peu le nom de Vanilla Rice Sombrerillas Golondrinas.

Un autre ami intervenait, après avoir guigné sur son écran : il ne fallait pas oublier que la découverte de l'existence de la matrice musicale était plutôt récente. Auparavant, à ces âges sombres, mais pas si lointains, les gens étaient persuadés que la musique pouvait leur appartenir. Pour autant qu'ils se soient crus les premiers à l'avoir reçue dans la tête.

Autour de Jenna, les amis hochaient le menton. Ils avaient entendu ces histoires. Bien sûr c'était à peine crédible. Vanilla Rice Sombrerillas Golondrinas réfléchissait à haute voix. Cette amie étant écrivaine, elle se croyait toujours obligée de faire des images en parlant. En fait, disait-elle, c'était un peu comme si les gens de ces temps-là ne voyaient pas ce qu'était la musique. Ils essayaient de l'attraper, comme de prendre de l'eau avec un filet.

Jenna dans son coin était pensive. Elle se disait que la même chose pourrait bien leur arriver aussi. Leurs descendants pourraient bien les prendre un jour pour des écervelés. Les écrivains ne disaient-ils pas encore que les livres et les compilations leur appartenaient ? C'étaient de telles luttes pour mettre ses noms et prénoms sur une couverture ! En observant cela sous un certain angle, Jenna pouvait concevoir que c'était absurde. Et de la même manière que l'on avait découvert la matrice musicale, peut-être allait-on mettre à jour la matrice de la langue. Cela n'était sûrement qu'une question de temps. Il y avait tellement de prix Moebel en circulation.

Cette réflexion ramenait Jenna à des images qu'elle avait visionnées peu de temps auparavant sur son écran. Un linguiste, dans une de ces émissions didactiques, y avait rappelé un fait curieux à propos des mots : pour la plupart des gens, les mots étaient des objets simples et utilitaires. Mais c'était bon pour les étrangers et les enfants de trois ans de manier les mots comme des planches. Avait-on déjà songé, disait le linguiste, à exploiter ce qui était dans les mots ?

La journaliste, souriante, avait fait signe que non.

Le professeur linguiste avait poursuivi : la surface d'un mot, depuis son centre, pouvait de part et d'autre coulisser. Oui, un mot pouvait s'ouvrir, comme une barque. À l'intérieur de ce mot pouvaient être trouvées toute sorte d'images accompagnant d'autres mots. Ces mots-ci ressemblaient à n'importe quels mots plats, et l'on pouvait penser que l'on était cette fois-ci parvenu au fond du mot. Pas du tout ! Parce que les fonds plats de ces mots-là pouvaient aussi coulisser en deux parties comme une barque. Et à l'intérieur étaient trouvés d'autres images et d'autres mots ressemblant à n'importe quel mot plat. Les fonds des mots étaient plus profonds que ce que l'on voyait au premier abord. Les mots étaient comme des barques. De l'extérieur, ils avaient l'air plats et exigus, mais quand on y entrait, on était étonné de l'espace qu'on y découvrait. Les mots avaient des fonds, des doubles-fonds, des quadruples, des quintuples, sextuples fonds et cætera, et en l'état de la recherche le linguiste ne pouvait pas dire jusqu'à quelle profondeur mèneraient les explorations. Peut-être cela menait-il tout simplement jusqu'à d'autres lieux. Et cela était vrai pour tous les mots, disait le spécialiste, tous les mots, tous les mots, tous les mots…

L'animatrice avait eu besoin que le professeur précise son propos et dise où il voulait en venir. Cette animatrice était bien rodée. Elle avait travaillé dans les écoles avant de se recycler. Elle connaissait la didactique.

En l'état de la recherche, avait alors résumé le professeur en enlevant ses lunettes, il était facile de comprendre que, vu la complexité d'un simple mot de dictionnaire, il paraissait a fortiori difficile pour l'entendement humain de pouvoir embrasser toute la complexité d'un livre. C'était pourquoi, le professeur devait le reconnaître, lui-même se prononçait en faveur de la suppression pure et simple du livre.

La journaliste, bien qu'aguerrie, ne s'attendait pas à cette bombe. Elle avait ôté elle aussi ses lunettes et demandé au linguiste s'il pouvait s'expliquer encore un peu. Le professeur avait repris sur un ton aimable. Il avait fallu tous ces siècles pour s'en apercevoir : les mots étaient eux-mêmes des petits livres. Qui, au lieu de se déployer de gauche à droite en surface, demandaient que l'on se penche sur eux à la verticale. Mots qui pouvaient soudain devenir immenses, pour peu que l'on commence à creuser en eux. À présent, ces temps d'obscurantisme étaient terminés : chacun était devenu capable de se rendre compte de la vraie richesse de ses mots. Cette richesse était endormie. On la voyait depuis longtemps, mais comme un trésor sous les eaux qu'on ne pouvait pas exploiter. Il était temps de ramener cette richesse à la surface. Il était fini, le temps où il était nécessaire d'accumuler des centaines de milliers de mots dans un livre, pour produire un soupçon de sens. L'économie du sens, avec le mot, allait devenir possible. Un seul mot, vraiment choisi, pourrait faire un livre. Encore quelques mois de recherche et, dans un futur vraiment proche, on pourrait signifier tout ce que l'on voulait signifier, dire tout ce que l'on voulait dire, transmettre tout ce que l'on voulait transmettre, avec un vocable aussi simple et merveilleusement plein qu'*asticot* par exemple, ou *averse.*

La journaliste avait remercié le professeur. Elle lui avait demandé encore s'il savait quand seraient connus les nominés pour le prix Moebel. Le professeur avait dit que ce devait être vendredi en quinze et le générique de fin s'était déroulé.

33.

Jenna Fortuni recevait un message de son éditeur. Cela confortait son idée selon laquelle son éditeur était clairvoyant. Ne fabriquait-il pas à la nuance près exactement les livres que Jenna imaginait, à croire qu'il avait posé un appareil photo dans sa tête ? Ne comprenait-il pas immédiatement ses désirs et ses envies et ne les intégrait-il pas admirablement dans les projets ? N'envoyait-il pas toujours ses messages au moment précis où Jenna songeait à se mettre en contact, de sorte qu'elle avait pris l'habitude de simplement y songer, au lieu de lui faire signe ?

Et voilà que la magie une nouvelle fois se produisait : l'éditeur par message invitait Jenna à venir le voir. À la minute même où celle-ci, à la suite de discussions avec son mari, en était venue à la conclusion que c'était le bon moment pour elle de frapper à une autre porte.

Certes, jusqu'à présent son éditeur avait fonctionné avec elle comme une algue souple et enveloppante. La suivant dans tous ses projets et anticipant ses désirs d'une manière ahurissante et fluide, qui ne la contredisait jamais. Et ce, tout en restant invisible. Mais il fallait savoir s'en aller quand il n'y avait pas de problèmes. Il fallait partir avec élégance avant que le mécanisme ne se grippe. Il ne fallait pas s'incruster. S'incrustant, on commençait à devenir moins visible et au fil des ans on finissait du côté des fleurs, des vases, des chaises, des tables et des étagères. Jenna avait pris sa décision. Elle voulait vivre l'aventure, sortir du moule, voir d'autres choses, faire de nouvelles et riches expériences.

La date du rendez-vous proposée par l'éditeur étant à son goût trop rapprochée, Jenna la faisait renvoyer. Elle voulait avoir le temps de se préparer sereinement à ce qu'elle pensait être des explications. Les livres de Jenna se vendaient bien. Certainement l'éditeur ne la laisserait pas partir sans la retenir. Il lui demanderait des comptes. Jenna allait devoir la jouer serrée. Il faudrait sortir des arguments. Il ne faudrait pas que l'éditeur pense que Jenna s'en allait mécontente. Jenna se demandait ce que l'on pouvait offrir à un éditeur en remerciement. Des roses ne faisaient pas l'affaire. L'éditeur était impersonnel et froid comme un clavier. Il ne semblait pas être en mesure de pouvoir manger des chocolats ni d'avaler de l'alcool. Pour Jenna, c'était inimaginable. Son éditeur n'avait pas de gosier et pas d'estomac.

Elle achetait un cristal de roche dans un magasin de pierres et bijoux. Le cristal dans la vitrine lui avait semblé parfait: pas trop grand, pas trop encombrant pour un bureau chargé de matériel. Il constituait un rappel fidèle de son éditeur, blanc, minéral, et de leur collaboration, transparente. Il représentait une petite montagne à trois pics qui pouvait aussi représenter la petite montagne de célébrité que Jenna et l'éditeur, de message en message, avaient construite. Le cristal montrait que cette montagne de célébrité était solide. Elle était dure. Elle était vive et indestructible.

Jenna espérait que l'éditeur saurait déchiffrer son geste. Elle était confiante. Son éditeur n'était pas devenu éditeur pour rien. Il maniait les symboles. Et s'il savait lire avec une telle acuité dans son esprit, il saisirait en un clin d'œil les intentions dissimulées dans le cristal qu'il recevrait en souvenir de son auteure Jenna Fortuni. Plus loin dans sa fantaisie, Jenna imaginait encore l'éditeur penché sur son bureau et lisant dans le cristal les événements quotidiens. Ou même, lui téléphonant dans la pierre. Apparaissant à Jenna, la tête nimbée de cristal. Mais tout cela évidemment était de l'imagination d'écrivaine.

Le jour fixé pour le rendez-vous était là. Jenna se rendait chez son éditeur. Elle garait sa voiture exactement devant l'entrée principale de la maison d'édition. Jenna avait toujours de la chance avec les places de parking. Celle-ci était d'une grandeur adaptée à sa voiture au centimètre près. Et c'était la seule place qui restait. Des deux côtés de la longue avenue, de grosses Range Rover sombres étaient garées pare-chocs à pare-chocs.

Il n'y avait pas de réception. Si on le lui avait demandé, Jenna aurait dit qu'elle n'était jamais entrée ici, si elle n'avait pas eu sous les yeux son écran où clignotait en gros caractères: 227, Rue Renardo-Mélinançon. Ce qui était bien l'adresse où Jenna était entrée presque cinq années auparavant à 12 h 24.

Un homme s'avançait dans le couloir. À sa silhouette et à son attitude, Jenna n'avait plus aucun doute. Il s'agissait de son éditeur. Il était très grand et très raide. Lui serrant la main, Jenna retrouvait d'un seul coup ses yeux bruns et les deux rides verticales au beau milieu de ses joues. L'éditeur la saluait faiblement, avec une intention de chaleur qui pointait et s'évaporait en même temps. Il faisait passer Jenna devant lui dans une petite pièce, qu'il semblait choisir au hasard. Jenna était étonnée que l'éditeur ne l'amène pas jusqu'à son bureau.

Ici comme dans l'entrée les murs étaient repeints. Il y avait deux sièges et une table basse en plastique. La fenêtre au fond, carrée, petite, semblait lointaine à Jenna. Elle réalisait que le plafond de la pièce était bas. Ce devait être pour cette raison que son éditeur s'était immédiatement assis sur une des deux chaises transparentes. Jenna s'asseyait aussi. Le silence demeurait entre l'éditeur et Jenna. Ce n'était sûrement pas gênant. Jenna n'avait presque jamais échangé de paroles avec son éditeur, depuis des années. Il devait donc être naturel qu'entre eux la communication ne passe pas par ce canal-là.

Jenna Fortuni…, commençait son éditeur en croisant subitement les mains.

Jenna ne pouvait plus se retenir. Elle lui coupait la parole en le remerciant chaleureusement de l'avoir convoquée pour cette entrevue. Il y avait longtemps qu'elle avait le désir de venir le voir.

L'éditeur paraissait contrarié. Ses yeux avaient un mouvement, comme pour revenir en arrière. Il reprenait rapidement: les collègues qui avaient reçu Jenna Fortuni la dernière fois avaient depuis longtemps quitté la maison. Il était du devoir de l'éditeur de faire venir Jenna Fortuni pour lui annoncer qu'elle aussi avait changé de maison d'édition. Jenna Fortuni, et ce depuis quelque temps, appartenait à la maison Radelpha, disait l'éditeur en plongeant ses prunelles profondément dans le visage de Jenna. Les yeux de l'éditeur étaient verts, avec des paillettes. Jenna ne connaissait pas cet homme-là.

L'éditeur récitait en regardant vers la fenêtre, par-dessus la tête de Jenna: les maisons d'édition obéissaient à des contingences dont les auteurs ne se doutaient pas. Les auteurs géraient leur petit porte-monnaie. Quant aux éditeurs, c'étaient avec des millions qu'ils devaient se dépatouiller. Les auteurs auraient dû avoir un peu plus de considération pour les éditeurs qui s'en sortaient avec un tel panache. Les auteurs auraient dû le comprendre : il était inévitable d'être vendu. Ce n'était pas la fin du monde. Tout au plus, un changement de décor. Les auteurs n'avaient pas à s'occuper des événements se déroulant très haut au-dessus de leurs têtes. Ces événements n'affectaient en aucune façon leur quotidien. De la même manière que le ciel et les mouvements de ses étoiles. La bergère, le mouton, s'occupaient-ils des étoiles ?

L'éditeur posait ses grandes mains blanches sur ses cuisses et consultait ouvertement son écran.

Eh bien… c'est parfait, faisait-il en se levant.

Avant qu'il s'en aille, Jenna voulait encore lui demander ce qui s'était passé avec son troisième livre. Ce livre était superbe. Jenna voulait connaître le nom de la personne qui s'en était occupée.

L'éditeur ne se rappelait pas ce livre. Mais c'était sans importance : la majorité des livres dans sa maison étaient confectionnés par les algorithmes. De même que les courriers et les messages. De même que les envois postaux et colis spéciaux. De même que la mise en page et le graphisme. En somme, concluait l'éditeur, il n'y avait que les rapports humains que les algorithmes ne pouvaient pas remplacer. Un sourire se dessinait, pâle. Il prenait congé.

34.

Le nom des éditions Radelpha n'était pas inconnu à Jenna Fortuni. Et pour cause: Radelpha était précisément la maison d'édition de Joanna Fortaggi.

Son mari avait beau lui dire qu'avoir été vendue n'était pas grave et que c'était exactement comme l'éditeur l'avait dit: des mouvements interplanétaires, qui ne concernaient en rien le travail de Jenna, Jenna pourtant se sentait hors d'elle. Elle était aussi vexée de n'avoir pas senti durant toutes ces années qu'elle avait eu affaire à des algorithmes. Voilà pourquoi cet «éditeur» était si aimable. Voilà pourquoi il ne discutait pas ses choix, mais les intégrait souplement et à la vitesse de l'éclair dans son système. Voilà pourquoi ses livres étaient si parfaits.

Jenna tournait et retournait dans ses mains ses trois livres. Maintenant qu'elle le savait, leur perfection lui paraissait inhumaine. Elle aurait dû s'en apercevoir. Il y avait quelque chose de faux ou de trop bien fait dans ces objets. Les coins des couvertures étaient trop bien coupés. Les bords n'avaient rien d'arrondi. Les couleurs juraient imperceptiblement. Elles n'étaient pas naturelles. Jenna Fortuni avait envie de jeter ses trois livres par la fenêtre.

Son mari haussait les épaules. Jeter ses livres ne servait à rien. Lui-même avait été vendu à maintes et maintes reprises, et qu'y avait-il gagné ? Le succès mondial. Jenna au lieu de s'énerver aurait dû plutôt considérer ce que lui apportait la vente de son nom : un pas supplémentaire vers le succès. Et que les éditions Radelpha se soient trouvées être également la maison éditoriale de Joanna Fortaggi n'émeuvait pas le mari de Jenna. Les livres de cette auteure apparaissaient aussi chez Radelpha ? Et alors ? Radelpha avait des centaines d'auteurs qui, comme sur un immense échiquier, changeaient lentement et continuellement de case. À tel point qu'un critique littéraire, pour plaisanter, avait dit un jour que les mouvements de la bourse n'étaient rien à côté de la valse des auteurs entre les maisons d'édition. Jenna se comportait vraiment comme une débutante. Encore une fois, elle n'était ni la première ni la dernière à changer de maison d'édition. Et les éditions Radelpha étaient réputées. Certes, leur politique éditoriale était dure, et l'on avait souvent l'impression de se faire broyer. Mais à la sortie du moulin, goutte par goutte, était recueillie l'huile la plus pure.

Le mari de Jenna parlait parfois d'une telle façon que Jenna pensait deviner ce qu'il mettait dans ses livres.

Suite à son changement d'éditeur, Jenna était devenue anxieuse. Elle tressaillait au moindre bruit. Elle ne supportait plus de voir les silhouettes de Jack et Pam. Elle tirait les rideaux sur eux. Mais quand elle les rouvrait, elle sursautait de croiser leurs pupilles narquoises.

Le mari de Jenna n'avait jamais compris la relation qui existait entre Jenna et Joanna Fortaggi. Il avait toujours dit que c'était de la jalousie et des histoires de femmes. Il n'était pas capable de comprendre ce que ceci voulait dire: être chaque jour confondue. Devoir chaque jour patiemment rappeler son nom, défendre son territoire. Jour après jour, répondre à des interlocuteurs qui s'adressaient peut-être à une autre. Être à moitié transparente. Ne plus savoir si ses paroles naissaient d'un endroit solide ou d'un vide. Éden Fels n'avait jamais vécu cette situation. Il avait eu la chance de sortir des livres qui s'étaient avérés immédiatement sans comparaison. Pour cela il aurait dû être lynché, mais il avait eu l'intelligence et la grâce de passer entre les gouttes. Il possédait aussi un des physiques types de l'écrivain: petit, maigre, faussement tourmenté. Ce physique l'avait sûrement aidé, à une époque où les écrivains femmes n'étaient pas encore à la mode.

Jenna et son mari étaient absolument sur la même longueur d'onde. Mais s'il y avait quelque chose qu'ils ne pouvaient pas partager, c'était bien Joanna Fortaggi. Pour le mari de Jenna, Joanna Fortaggi était une écrivaine, contemporaine, fière et même pas excessivement talentueuse. Pour Jenna, Joanna était une dangereuse rivale. Non, pas une rivale. Une sorte de super-présence capable de l'absorber et de la faire disparaître. Un trou noir en somme. Jenna devait faire attention. Une fois entré dans un trou noir, on ne pouvait pas revenir en arrière. On ne savait pas ce qu'il y avait au fond. Les étoiles, à proximité des trous noirs, se transformaient en crêpes avant d'exploser. Les droites devenaient des courbes. La surface de l'espace était toujours en mouvement, comme la surface de la mer. Jenna et Joanna baignaient toutes deux dans une lumière de quatorze milliards d'années.

Jenna écartait subitement son écran. Quand elle le consultait trop longtemps, elle sentait monter des vagues de panique. Il était préférable de se reposer sur son lit.

Sans défaire le couvre-lit, elle s'allongeait sur l'arrangement de coussins et de fleurs artificielles. Tout à coup elle poussait un cri : les quatre yeux de Jack et Pam étaient en train de la fixer narquoisement. Jenna excédée se levait et tirait le rideau sur eux.

35.

Joanna Fortaggi organisait toujours les vernissages de ses livres à la maison. Ainsi elle n'avait pas à se soucier de la garde de ses enfants. Les invités avaient la sensation que l'écrivaine leur faisait une faveur et c'était un excellent point de pouvoir faire entrer son éditeur dans sa cuisine.

Joanna Fortaggi était en plein vernissage de son sixième livre, quand la nouvelle parvenait jusqu'à elle : sa maison d'édition, Radelpha, faisait apparaître son septième livre.

Joanna était en train de déboucher le champagne, au milieu des cris. C'était une tradition : pour ses vernissages Joanna s'entourait d'extra, mais au moment du champagne elle montait sur une table du salon et faisait elle-même péter les bouchons. C'était pour Joanna le summum de la fête et du laisser-aller.

Tout d'abord Joanna n'avait rien compris lorsque l'un des invités, un des amis en fait que son mari avait sélectionnés pour elle sur son catalogue, était venu lui caresser la cheville et lui avait susurré des félicitations pour son septième livre. Joanna avait cru qu'étant ivre, il confondait les numéros et qu'il était seulement intéressé à lorgner d'en dessous ses jambes. Elle avait continué en riant à faire péter les bouchons.

Un autre de ses invités s'était approché de la table. Celui-là, on ne pouvait pas le soupçonner d'être ivre. Joanna le connaissait depuis longtemps. Il ne touchait pas à l'alcool. Il était un des rares écrivains à rester sérieux. Ses couvertures étaient austères et violettes. Il faisait partie de ces écrivains qui venaient hululer sur les plateaux que tout avait déjà été dit. Il avait le regard suffisamment alarmé pour que Joanna comprenne qu'il ne s'agissait pas d'une plaisanterie. Il faisait signe à Joanna de descendre de la table. D'une voix étranglée, il disait que, dans le coin nord-est du salon, son éditeur venait d'annoncer dans un petit cercle la sortie imminente du septième livre de Joanna Fortaggi. L'écrivain n'avait pas terminé son rapport que le mari de Joanna s'approchait en hâte : que se passait-il ? L'éditeur de chez Radelpha, dans le coin nord-est du salon, venait d'annoncer une nouvelle : le septième livre de Joanna Fortaggi allait apparaître le lendemain. Le mari de Joanna aurait souhaité être tenu au courant. Mais qu'avait pensé Joanna ? Était-elle en train de devenir folle ?

Joanna devait bien reconnaître devant son mari que son éditeur l'avait prise de court. C'était mauvais signe. L'Histoire avait déjà vu plusieurs cas d'apparitions répétées de ce genre : un beau jour, l'un ou l'autre éditeur faisait apparaître une série de livres du même auteur, en rafale. Tous les auteurs d'abord l'enviaient. Puis on s'apercevait qu'il s'agissait d'une sorte de chant du cygne. Ou plus prosaïquement, d'un mouvement sain et hygiénique d'auto nettoyage. Les éditions se nettoyaient par expulsion du plus petit matériel de cet auteur adhérant encore à leurs murs. À chaque fois, immanquablement, l'auteur en question finissait par être vendu à une maison de moindre importance. Ou, dix mille fois pire, il disparaissait à tout jamais des studios de télévision et des consoles de vente.

Le lendemain du vernissage, la nouvelle avait déjà fait le tour des télés et des magazines : Joanna Fortaggi faisait apparaître son septième livre. C'était déboussolant et difficile pour un animateur de télévision, qui n'en avait pas l'habitude, de devoir s'en sortir avec deux livres, issus du même auteur en même temps, mais demeurant tout de même deux objets distincts. Toutes sortes de problèmes surgissaient quant au protocole des émissions : fallait-il présenter Joanna Fortaggi en dernier, pour ne pas lui donner trop de place par rapport aux autres auteurs invités ? Fallait-il présenter d'abord le sixième livre et attendre l'autre bout de l'émission pour présenter le septième ? Fallait-il présenter les deux livres à la fois ? Mais le téléspectateur saurait-il faire la différence entre les deux livres ? Cette situation n'allait-elle pas générer la confusion et l'angoisse ? N'était-il pas possible de faire passer le sixième et le septième livres comme s'ils étaient d'un seul tenant et, par conséquent, un unique et même livre ?

Joanna Fortaggi ne savait même pas à quoi ressemblait son septième livre. Elle répondait aux questions en gardant le flou, exercice dans lequel elle était passée maîtresse. Aux critiques qui appelaient et qui envoyaient des messages, Joanna Fortaggi répondait qu'ils ne seraient pas déçus. Le septième livre était encore plus beau que le précédent. Que les critiques attendent seulement l'émission du soir.

Le septième livre devait sortir à 21 h 30 en ouverture du Grand Plateau littéraire. C'était la décision de Radelpha. Joanna Fortaggi devait découvrir son livre en direct, pour partager avec son public l'émotion de le tenir dans les mains.

Madame Fortu, Fortaggi, vous nous gâtez! composait un critique en direct sur l'écran.

Joanna ne répondait pas. Elle essayait de se mettre en contact avec son éditeur. Celui-ci était suroccupé. Il travaillait vingt-cinq heures par jour. Tantôt il lui faisait répondre qu'il était en plein marché aux livres au Labrador. Tantôt il était en train de négocier l'achat de deux mille banques de données, et Joanna était directement propulsée dans la matrice musicale. Elle était priée de patienter.

36.

Dans le studio du Grand Plateau littéraire, une assistante annonçait le compte à rebours. L'animateur compulsait ses fiches. Son visage était fatigué. Mais, sur ordre d'un petit voyant qui passait sans prévenir du vert au rouge, la tête de l'animateur rayonnait. On aurait dit qu'il avait remonté ses bretelles. Il faisait un magnifique sourire caoutchouteux en direction de la caméra qui lui faisait face.

Mesdames et Messieurs, bonsoir, lançait-il en s'avançant avec un ample geste de la main pour figurer l'embrassement. Toute sa personne était chaleur et accueil. On ne voyait rien sur lui qui ne soit pas détendu et ouvert. Mis à part bien sûr le pouce et l'index de sa main gauche crispés sur ses fiches de paume. Cette attitude était commune. Tous les animateurs se présentaient avec cette petite crispation et cette blancheur ingrate dans la main gauche. Le panache leur échappait de peu.

Cet animateur était réputé. Il avait montré une longévité exceptionnelle à l'antenne. Le monde des téléspectateurs se moquait de ses sourires caoutchouteux, qui étaient dus à une texture particulière de son épiderme. À cause de cette texture de ses joues s'était insinuée petit à petit dans les consciences et sans que l'on s'en aperçoive l'idée que l'animateur n'était peut-être pas un vrai. Mesdames et Messieurs, disait l'animateur, ce soir une émission exceptionnelle, où vous aurez l'occasion de voir les auteurs les plus éminents, accompagnés de leurs livres les plus neufs.

L'animateur en tout premier lieu présentait la romancière Joanna Fortaggi. Et comment aurait-il pu faire autrement. Joanna Fortaggi allait faire apparaître sur son plateau en direct son septième livre.

Jenna Fortuni était aussi présente. Elle était assise tout à côté de Joanna Fortaggi. Elle aurait préféré être installée à un autre endroit, mais c'était ainsi que l'avaient décidé les producteurs: Joanna Fortaggi et Jenna Fortuni, côte à côte, comme deux sœurs. L'assistante les avait disposées de manière à ce que le fil du micro-cravate de Jenna ne s'emmêle pas dans les jambes de Joanna. Joanna portait une robe de dentelles couleur chair, avec des fils brillants. Jenna portait une jupe saumon et un chemisier crème. Comme d'habitude, elles étaient parfaitement synchrones.

Jenna Fortuni n'avait pas envie d'être là. Elle savait qu'elle allait devoir affronter ce septième livre de Joanna et se torturer la cervelle pour trouver un commentaire élogieux. Elle allait devoir trouver une comparaison n'ayant pas été prononcée depuis la veille, mais n'ayant surtout rien de recherché ni d'inattendu. Elle allait devoir répondre oui à la question: Mais vous, Jenna Fortuni, ne trouvez-vous pas stupéfiant aussi que l'ensemble de votre œuvre présente des parallèles aussi frappants avec les sept livres de Joanna Fortaggi?

Jenna était tout de même curieuse de voir comment allait s'en sortir la Fortaggi. Son cinquième livre était émeraude. Son sixième était cramoisi. Quelle couleur l'éditeur de chez Radelpha avait-il bien réussi à inventer ce coup-ci ? Un camaïeu, un pastel ? Une illustration inédite ? Jenna savait, pour avoir longuement dû l'écouter sur les plateaux, que Joanna Fortaggi haïssait les illustrations. Joanna Fortaggi ne ratait pas une occasion de se plaindre face aux caméras des ignobles couvertures de ses poches et de ses traductions. Cela pour rappeler qu'elle était traduite en tagalog et que les Inuits l'achetaient beaucoup. Elle recevait des messages du Japon. Elle se rendait souvent par écran au Kenya.

Jenna supposait que Joanna Fortaggi avait dû faire un septième livre correct et discret. Au septième, la retenue était encore souhaitable. Un huitième pouvait être plus raccoleur. Un neuvième pouvait être excentrique, après quoi, avec le dixième, on pouvait tout se permettre. Et quant à elle, Jenna Fortuni, elle ne savait même pas quand elle verrait apparaître son quatrième livre, ni même s'il y en aurait un. Jenna se sentait flottante. Elle ne savait plus sur quoi elle était posée. Elle avait l'impression d'avoir perdu ses attaches. Ce qui était ridicule, si l'on pensait que ces attaches avaient été de vulgaires algorithmes.

L'animateur interrompait ses pensées. Il entendait tricoter son prologue sur Jenna et garder le plus consistant pour la suite. Jenna Fortuni, commençait-il : très sincèrement, quel effet est-ce que ça faisait de se trouver à côté d'une auteure qui faisait sortir ses cinquième, sixième et septième livres, coup sur coup ?

L'animateur espérait faire prononcer à Jenna que tous ces livres lui faisaient envie, afin de pouvoir appliquer d'entrée le principe de comparaison. Les spots étaient dardés sur Jenna. Ravigotée par les regards, elle prenait subitement le taureau par les cornes : Eh bien, être assise auprès de Joanna Fortaggi était pour Jenna très stimulant. Surtout que toutes les deux partageaient à présent la même maison d'édition, faisait Jenna avec un sourire et en ébauchant un mouvement des yeux en direction de Joanna, mais sans aller jusqu'à les poser sur elle.

Ses mots avaient l'effet d'une grenade. L'animateur désarçonné ne trouvait rien dans ses fiches. Qu'essayez-vous de nous dire, Jenna Fortuni ? disait-il pour se donner le temps de rebondir.

Jenna était maligne. En annonçant elle-même son nouvel éditeur, elle s'attribuait un peu de l'aura de Joanna. Et elle désamorçait les commentaires qui n'auraient pas manqué de pleuvoir sur elle dès l'instant où les animateurs de télévision auraient appris son transfert.

Jenna ne regardait pas Joanna, mais elle sentait à ses côtés de minuscules mouvements. L'intérieur de Joanna s'était mis à s'agiter et vibrionner. Jenna comprenait que Joanna n'avait pas été mise au courant de l'arrivée de Jenna dans sa maison d'édition. Joanna Fortaggi était inquiète. Mais elle ne pouvait pas le montrer à ce moment où elle était au sommet. Le moment où allait être dévoilé en direct son septième livre.

L'animateur s'adressait maintenant à Joanna Fortaggi. Il lui disait qu'elle devait être contente d'accueillir sa sœur jumelle dans sa maison. Joanna Fortaggi, tout sourire, répondait qu'elle était ravie. C'était un véritable plaisir de savoir que les livres de Jenna Fortuni étaient désormais entre les mains d'un éditeur aussi brave. Joanna Fortaggi esquissait même un geste, comme pour poser sa main protectrice sur l'avant-bras de Jenna. Mais son geste s'arrêtait dans l'air. Sa main revenait avec lenteur se poser sur ses genoux.

Jenna percevait toujours une profonde agitation dans la personne de Joanna. Elle pouvait voir à l'intérieur d'elle. Quelle drôle de sensation, se disait Jenna. Elle avait vue à la fois sur elle-même et sur l'intérieur de Joanna. Elle ne s'en était pas aperçue. Maintenant elle s'en rendait compte. Cet état était déjà existant, Jenna ne pouvait pas dire depuis quel moment. Peut-être les choses avaient-elles été ainsi depuis le début. Jenna simplement n'y avait jamais fait attention. Et le plus étrange était que Jenna savait aussi que Joanna pouvait voir en elle. C'était simplement naturel. Il n'y avait pas de distance. Elles étaient ensemble. Ce n'était pas dérangeant. Ce n'était pas désagréable. Au contraire. Jenna comprenait qu'elle était vaste. Elle était calme. Elle était posée. Elle était.

À ce moment, l'animateur annonçait l'arrivée du septième livre de Joanna Fortaggi. Retentissait un roulement de tambour, qui était mi-sérieux, mi-moqueur. Une assistante apportait à Joanna un petit coffret. Le coffret était déposé sur ses genoux. L'animateur rappelait aux téléspectateurs que s'y cachait le septième livre de Joanna Fortaggi. Le roulement s'intensifiait tandis que Joanna ouvrait le coffret. Elle prenait le livre qui était dedans et sans l'examiner le tendait en souriant à la caméra.

Les caméras 1 et 2 zoomaient sur le livre. Un beau visage était sur la couverture. Ce visage était multiplié sur les écrans de contrôle du plateau. Joanna et Jenna en prenaient connaissance. Elles voyaient que ce visage était à elles. Il était leur visage. Ce visage était constitué de la moitié gauche du visage de Jenna Fortuni et de la moitié droite du visage de Joanna Fortaggi. Les noms de l'une et de l'autre étaient inscrits au-dessus de lui sur la couverture. Pour la première fois de leur vie, Jenna et Joanna n'avaient pas de peine à se regarder. Elles contemplaient leur visage sur les écrans de contrôle. Cela aussi était simplement naturel.

L'animateur était aux anges. Il ne pouvait pas se retenir. Une telle surprise. Un tel cadeau. Une telle complicité. Une telle coopération de la part de deux auteures que tout réunissait déjà. Le septième livre de Joanna Fortaggi, qui était en même temps le quatrième livre de Jenna Fortuni ! Radelpha était vraiment la crème de la crème des éditeurs.

L'animateur, se remettant de ses émotions, entamait la valse des questions-réponses. Comment le livre avait-il été fait, comment Jenna Fortuni et Joanna Fortaggi avaient-elles choisi le format et la couleur du fond, quels avaient été leurs modèles, où avaient-elles puisé leur inspiration et combien de temps avait duré la composition, étaient les questions auxquelles Jenna et Joanna répondaient en se passant la parole.

Les stars présentes sur le plateau ne pouvaient rien dire. C'était comme si on leur avait coupé le micro. Elles souriaient infiniment et faisaient des gestes de la main pour recoiffer leur chevelure, ou bien elles se carraient et se recarraient dans leur fauteuil afin d'attirer sur elles l'attention des caméras 1 et 2.

37.

Le visage sur la couverture du septième livre de Joanna Fortaggi, qui était le quatrième livre de Jenna Fortuni, n'était pas souriant. Il n'était pas sérieux non plus. Il regardait devant lui. Ses yeux étaient posés sur l'infini ou sur la ligne de l'horizon, suivant comment les animateurs arrivaient à le définir. La peau de ce visage avait un éclat. Ce n'était pas du fond de teint. Le grain de la peau, ou des peaux, était visible. Ce visage présentait une profondeur et une richesse extraordinaire, du fait de ses deux moitiés. Cependant on ne pouvait pas dire que c'était un visage compliqué. Les traits de ce visage étaient simples. Ils réunissaient seulement plus de paramètres qu'un visage courant. Aux endroits où un visage ordinaire n'aurait comporté qu'une expression, ce visage réuni en comportait deux. Là où un visage aurait comporté deux expressions, ce visage réuni en comportait quatre. Et ainsi de suite. Les expressions n'étaient pas mélangées, elles s'additionnaient. Cela donnait une complexité phénoménale à ces traits. Ce visage exerçait une fascination. Il semblait être sur le point de sortir de la couverture.

Au terme de cette émission, Jenna Fortuni et Joanna Fortaggi étaient rentrées troublées et secouées à la maison. Elles avaient essayé de se comporter comme d'habitude. Leurs maris ne les avaient pas accueillies avec les questions habituelles. Chacun des deux avait visionné l'émission et chacun des deux avait été bouleversé par le visage qui avait été montré. Ils avaient eu peur de ne pas reconnaître leur femme.

Jenna et Joanna avaient éprouvé la même hâte à se retrouver seule pour examiner tranquillement leur quatrième et leur septième livre. Et à leur mari qui les questionnait anxieusement sur leur état d'esprit, elles avaient toutes les deux répondu que tout allait bien. La situation était sous contrôle. Elles ne voulaient pas entrer dans les détails. Il aurait fallu pour cela qu'elles arrivent à déterminer si elles se sentaient furieuses, révoltées, exaltées, stimulées, consternées, résignées, affolées ou inquiètes. Pour le moment, elles avaient mieux à faire. Elles avaient toutes les deux besoin de contempler de près leur nouvel ouvrage.

Joanna Fortaggi annonçait à sa famille qu'elle allait prendre un bain. Elle se retirait en peignoir, avec le livre. La clé de la salle de bains tournait quatre fois dans la serrure. Jenna Fortuni quant à elle fermait simplement la porte de son bureau conjoint. Son mari la laissait tranquille. Jenna se penchait sur son quatrième livre, en même temps que Joanna examinait son septième livre dans sa salle de bains.

Le visage sur la couverture était facile et difficile à identifier. À peine Jenna et Joanna s'y reconnaissaient-elles qu'aussitôt il leur échappait. Jenna croyait reconnaître son propre visage dans le dessin des sourcils. Mais la seconde d'après les sourcils lui semblaient ceux d'une autre. Joanna aussi reconnaissait dans le visage la forme de son nez et de ses pommettes. Cela aussi s'évanouissait. Un visage nouveau était sous ses yeux, à la fois mobile et fixe. C'était ce qui était fascinant: ce visage était son visage à elle, Joanna Fortaggi. Puis ce visage devenait le visage de Jenna Fortuni. Puis ce visage était le visage d'elle-même et de Jenna Fortuni à la fois. Mais tout à coup, ce visage n'était à aucune des deux. Il devenait un grand visage, anonyme et impersonnel comme celui d'une statue. Plein et vide. Réel, irréel. Vrai et froid. Le visage de quelqu'un de précis, n'étant pourtant le visage de personne. Le moment d'après, il reprenait l'expression de Joanna.

Les animateurs, en êtres excessivement sensibles et soumis au langage des signes, réagissaient d'ores et déjà fortement à cette ambiguïté. Le visage et le livre amenaient maintes interrogations et embarras. Les animateurs ne savaient pas s'il fallait annoncer que le livre était à la fois le quatrième livre de Jenna Fortuni et le septième de Joanna Fortaggi. Mais laquelle des deux romancières devaient-ils mentionner en premier? Les animateurs ne savaient pas non plus s'ils devaient trancher dans le vif et définir le livre comme étant: le premier livre de Jenna Fortuni et Joanna Fortaggi. Mais dans ce cas-là, de nouveau: laquelle des deux écrivaines devaient-ils nommer en premier? L'éditeur de Radelpha, consulté, avait gardé le silence et s'était abstenu de toute directive.

Deux ou trois animateurs dépourvus de scrupules avaient déjà inventé une solution. Le premier livre de... c'était ce qui sonnait le mieux. Tout le monde le savait bien. C'était le plus commode et le plus attrayant pour annoncer n'importe quel ouvrage. Les téléspectateurs de cette façon ne pourraient pas s'emmêler. C'était plus facile que de dire quatrième et septième en même temps. La langue de ces mêmes animateurs par conséquent avait de plus en plus tendance à fourcher et à coupler les deux noms. Une nouvelle auteure, par leurs bouches, était en train de voir le jour. Le nom de cette nouvelle auteure était : Joeanna Fortunaggi.

38.

À la suite de l'apparition de leur livre, Jenna Fortuni et Joanna Fortaggi étaient invitées sur les plateaux. Elles arrivaient par véhicules séparés. Jenna se déplaçait avec sa voiture. Quant à Joanna, elle arrivait en taxi.

Les écrivaines étaient accueillies à la réception des télés. Elles y patientaient quelques secondes sans se regarder. L'assistant venu les chercher les amenait dans un salon-lounge. Il demandait ce qu'il pouvait leur servir. Jenna et Joanna faisaient très attention de ne pas commander la même boisson. Par exemple, si Joanna demandait du jus d'orange, Jenna commandait de l'eau. Si Joanna demandait de l'eau pétillante, Jenna demandait dans son verre un soupçon de sirop grenadine.

Après le maquillage et la coiffure, qui avaient lieu dans de petits box, les deux écrivaines étaient installées sur le plateau. Les émissions étaient toujours précédées d'une foule de minuscules intervalles où les écrivaines n'avaient rien à faire. Elles n'avaient simplement qu'à patienter. D'où les cafés et les jus d'orange. Les deux écrivaines occupaient ces instants à fouiller dans leur sac et vérifier leurs rendez-vous dans leur agenda. Ou bien elles passaient des coups de fil aux êtres qui leur étaient chers et ne manquaient pas de faire entendre leurs conversations aux autres invités. Ou encore elles se prenaient de sympathie pour l'actrice ou les people qui étaient présents et redoublaient d'exclamations pour faire comprendre qu'elles étaient restées simples, les pieds sur la terre, authentiques.

Enfin le technicien était prêt, ou bien l'heure du direct avait sonné. Les projecteurs s'allumaient sur les invités. L'animateur s'illuminait. Les chaleureux mots de bienvenue étaient prononcés. Jenna Fortuni et Joanna Fortaggi répondaient avec à-propos à toutes les questions. Elles étaient des professionnelles. Elles n'avaient pas besoin de se consulter. Elles savaient l'une et l'autre d'instinct quels mots allait prononcer sa voisine.

Jenna plongeait en Joanna Fortaggi aussi facilement qu'en elle-même. Cette drôle de sensation persistait. Chaque fois que Jenna quittait les plateaux et qu'elle était de retour à la maison, la sensation se faisait ténue et imperceptible comme un grain de sable. Jenna aurait pu croire qu'elle l'avait rêvée. Mais quand elle se retrouvait vis-à-vis ou aux côtés de Joanna Fortaggi, c'était de nouveau naturel: l'intérieur de Joanna lui était donné. Jenna pouvait en suivre les infimes étincelles. Elle percevait les mouvements de ses nappes s'agitant, se développant, faisant des vagues. Elle voyait défiler ses pensées. Elle ressentait ses tourbillons quand Joanna prenait la parole. Il y avait aussi des endroits inertes: quand la matière de Joanna, semblant s'extraire du studio, filait tout à coup très haut au-dessus de l'immeuble.

Puisqu'il n'y avait pas de distance entre elles, Jenna se disait que Joanna devait éprouver la même sensation. Pourtant Joanna n'en montrait aucun signe. Elle ne laissait rien paraître. Elle était assise toujours aussi droite et sa tête ne faisait aucun mouvement, clignement ou hochement particulier en direction de Jenna Fortuni.

Jenna Fortuni et Joanna Fortaggi ne se parlaient pas. Leurs poitrines partageaient le même espace, mais pour ce qui était de la voix et des oreilles la réunion n'avait pas eu lieu. Les deux écrivaines seule à seule continuaient à garder le mutisme. Et l'émission terminée, elles se levaient et s'enfuyaient dignement.

39.

Quasiment à la même époque, Larsen Frol faisait son retour sur les plateaux. Après des mois de tournées et de retraite à peindre dans son atelier, il avait fait apparaître un nouvel opus. Ce nouvel ouvrage était blanc et large. Le papier de la couverture était nervuré. Il était d'une épaisseur significative. Les caractères qui y figuraient s'enfonçaient profondément dans sa texture. Ainsi était-il suggéré que Larsen Frol avec ce livre avait atteint une profondeur inédite.

Joanna Fortaggi et Jenna Fortuni entourant Larsen Frol constituaient un plateau de choix. Il n'était presque plus besoin de convoquer des people pour servir de ressort entre les auteures. Larsen remplissait ce rôle à merveille. Oui, c'était un véritable plaisir pour les animateurs et pour les téléspectateurs d'avoir devant les yeux ce trio : le jeune et fringant artiste-écrivain, entouré de deux romancières à succès, lesquelles étaient de surcroît de belles personnes dignes et brunes, maîtrisant l'art de la repartie et jamais avares en paroles.

Jenna et Joanna s'étaient tout de suite habituées à se retrouver sans arrêt ensemble. Du fait de leur capacité à lire dans l'intérieur l'une de l'autre, elles ne se coupaient jamais la parole. Leur discours était harmonieux.

Les mots circulaient de l'une à l'autre. Ils provenaient de la même source. C'était un enchantement d'écouter les deux écrivaines discourir et bavarder sur tous les sujets possibles. Les animateurs se les disputaient. Ils adoraient les recevoir sur leurs plateaux. Il n'était déjà plus imaginable d'inviter l'une des écrivaines sans sa jumelle. Joanna Fortaggi et Jenna Fortuni étaient devenues définitivement inséparables.

Sur l'un de ces plateaux d'émission, Joanna Fortaggi, à l'invitation de l'animateur, s'entretenait de sa famille et de ses enfants. D'après elle, il n'y avait guère que les enfants à présent pour croire qu'il fallait se documenter avant d'accomplir n'importe quelle action. Joanna elle-même ne lisait jamais. Elle n'ouvrait vraiment aucun livre. Mais son fils aîné persistait à consulter toutes sortes d'ouvrages démodés, sur le seul motif qu'il voulait lui-même en fabriquer un. Joanna Fortaggi n'avait rien contre le fait que son fils aîné veuille devenir un écrivain. Mais que ces préparatifs étaient lourds ! Depuis quand devait-on se renseigner sur toutes les façons de faire avant d'oser se lancer ? Passait-on en revue les différentes façons de se mettre en chemin avant de marcher ? Passait-on en revue les différentes façons d'entamer son assiette avant de se mettre à manger ? Examinait-on toutes les façons d'inspirer de l'air dans ses poumons avant de respirer ? Ce n'était pas autrement que Joanna Fortaggi considérait l'écriture : une façon de marcher, manger, respirer, qui ne demandait pas d'autre préparation que simplement : l'authenticité, la franchise. L'écriture, pour Joanna Fortaggi, était une émanation de l'être. Elle était un geste, un mouvement. Joanna écrivait comme une respiration. Sa tête et sa réflexion n'y prenaient aucune part.

Jenna Fortuni pensait la même chose. Elle suivait

Joanna avec attention. Elle savait que Joanna allait à présent parler de conduites-fossiles, de ces comportements désuets qui impliquaient de se documenter longuement avant d'oser soi-même tracer un signe.

Quand Joanna abordait le sujet de sa famille, son intérieur se mettait à vibrer. Il se creusait et s'entrouvrait et n'en finissait pas de s'approfondir. À côté d'elle, Jenna pouvait sentir une chaleur se développer à partir du centre de sa poitrine. Au début ce n'était presque rien, mais cette chaleur semblait sourdre d'une vallée dont les bords s'écartaient avec douceur et à grande vitesse, laissant percevoir une étendue et une profondeur qui n'avaient pas de fin.

40.

Une émission de variétés arrivait lentement à son terme. Environ quinze minutes avant la fin, l'animatrice, estimant son plateau trop mou, redonnait la parole à Larsen Frol. Larsen commençait par parler de la peinture. C'était sa toute vieille tactique : parler d'un certain art et, inopinément, passer à celui de la littérature. La littérature réunissant des paramètres beaucoup plus complexes, elle était moins facilement comprise et saisie par les gens.

Larsen expliquait qu'il peignait des toiles immenses se perdant dans la pénombre des plafonds. Le regard ne pouvait les saisir d'un seul coup. À moins de monter sur une échelle, les gens qui les achetaient ne voyaient jamais clairement les détails qui se cachaient sur le haut. Lui-même, bien qu'étant l'auteur de ces toiles, ne savait pas vraiment l'effet que donnaient ses œuvres. Une vue d'ensemble lui manquait. Il connaissait ses toiles par petits bouts. Et pourquoi faisait-il cela lui, Larsen Frol, alors qu'il aurait été beaucoup plus facile de peindre de petits tableaux s'encadrant bien dans les salons et embrassables en un clin d'œil ? Ni l'animatrice ni les personnes invitées ne voulaient répondre. Larsen pourtant leur en laissait le temps en les dévisageant un par un.

Eh bien, puisque ces mesdames et messieurs ne trouvaient pas de réponse, Larsen allait leur en donner une : Larsen peignait ces surfaces immenses afin que de cette façon ses toiles soient comme des voyages. L'amateur les parcourant pouvait avoir l'impression de se promener dans un paysage. Et quoi de plus embêtant que de ne jamais pouvoir divaguer, mais de retomber tout de suite sur ses pas ? Quoi de plus ennuyeux que de voir l'entier du chemin depuis son point de départ ? C'était la liberté que Larsen peignait. C'était la possibilité de pouvoir choisir entre maintes et maintes directions. Sans l'étendue et sans la profondeur, l'art de la peinture, selon Larsen Frol, n'était rien. La musique déjà avait perdu son âme, parce que l'on avait découvert qu'elle était une sorte de génératrice, fonctionnant indéfiniment et ne devant rien au temps ni à aucun être humain. Et quant aux livres, Larsen comprenait tout à coup qu'ils étaient tout simplement des vaisseaux. Ils offraient un petit endroit où l'écrivain, se logeant, pouvait s'envoler. Bien sûr il était regrettable que les écrivains n'emmènent plus personne avec eux. Le livre était devenu un monospace.

L'animatrice était frappée. Larsen Frol venait soudain, quelques minutes avant le générique, d'accoucher sans prévenir d'une définition du livre qui avait l'air acceptable. Une mini-onde de choc courbait les nuques sur le plateau. Un espace était créé dans les cervelles. On croyait un instant que c'était une parole fraîche qui venait de se matérialiser dans la bouche du jeune auteur Frol.

Mais il se trouvait sur le canapé deux ou trois auteurs invités qui veillaient au grain. Ces auteurs étaient de la nouvelle école. S'ils ne savaient pas définir un livre, ils savaient en tous les cas admirablement ce qu'un livre ne pouvait pas être. Ils s'esclaffaient en disant qu'il ne fallait pas pousser le bouchon trop loin. Certes un livre était un simulacre, grâce auquel on pouvait se propulser sur les plateaux et dans toutes sortes d'autres endroits. Mais, avec la meilleure volonté du monde, jamais on ne parviendrait à mettre un pied dedans. Personne n'avait jamais embarqué à bord d'un livre. De là à dire qu'il faisait voyager, ces écrivains-là ne voyaient pas du tout ce que Monsieur Frol voulait dire.

Une des écrivains voulait poursuivre, mais le générique de fin était sur le point de déferler. Et s'il y avait bien une chose que personne n'était en mesure d'empêcher, c'était le déferlement des génériques. Les génériques déferlaient à moments donnés, aussi sûrement que sur les plages et les rochers du monde entier les marées commençaient à monter ou descendre, suivant des horaires précis et terriblement compliqués.

41.

L'apparition du livre de Joanna Fortaggi et de Jenna Fortuni se déroulait particulièrement bien. L'éditeur de Radelpha s'en félicitait. Il avait eu une intuition de génie d'accoupler sur cette couverture les visages et les noms de ces deux auteures. Ces noms brillaient à présent dans les vitrines et l'éditeur voyait s'approcher plus rapidement que prévu son but ultime, qui était : faire de deux auteures moyennes une grande.

Il était bien aidé en cela par ces girouettes d'animateurs. Les animateurs étaient renversants. Leurs cervelles étaient de vrais courants d'air, mais ils n'avaient pas leur pareil pour renifler les endroits obscurs, déterrer les sous-entendus, lever les lièvres les plus invisibles et faire jaillir au grand jour ce qui s'était déjà installé partout, sans pourtant avoir été vu.

Le pire avec les animateurs était qu'ils faisaient tout cela par nature. Ils ne réfléchissaient pas deux secondes. Ils y allaient à l'instinct. Quelque chose était dans leur être, qui leur disait quand un élément était sur le point de se présenter ou quand ils étaient sur le point de mettre le doigt sur quelque chose qui allait faire du bruit. Ils y allaient fort. Ils n'hésitaient pas. Et tout reposait sur leurs épaules, de sorte qu'autour d'eux le monde pouvait rester détaché et innocent.

Quelle heureuse institution que les animateurs. L'éditeur de Radelpha était contre le courant de pensée visant à les abolir. Certes, les écrivains savaient ce qu'ils avaient à raconter sur un plateau. Certes, c'était tout le temps la même chose, et ils connaissaient d'avance leurs répliques sur le bout des doigts. Certes, on n'avait besoin de personne pour tendre un livre à une caméra, énoncer le prix d'un volume et raconter en quelques mots ses modèles et sa blessure secrète. Les écrivains savaient ce qu'ils avaient à dire. Les stars savaient ce qu'elles avaient à montrer. Les spécialistes savaient ce qu'ils avaient à expliquer. Tout ce petit monde aurait très bien pu s'autogérer.

Mais quand même. Pour mettre les pieds dans le plat ou retourner les doublures en montrant les trous et les étiquettes, personne n'était aussi doué que les animateurs. Les animateurs étaient irremplaçables. Ils étaient des éléments primordiaux. L'édition s'appuyait sur eux. On pouvait se passer d'auteurs, comme cela pouvait déjà se faire dans certaines maisons avec les algorithmes. Mais jamais on ne pourrait se passer d'animateurs de télévision.

Et c'était bien grâce à eux qu'une superauteure était en train d'émerger aux éditions Radelpha. Grâce à leurs langues qui s'emmêlaient et à leurs bouches réductrices et pressées. Grâce à leur enjouement, quand ils annonçaient: « le premier livre de Joeanna Fortunaggi! », et demandaient ensuite tout de suite à être excusés. Que les deux écrivaines présentes sur le plateau veuillent bien leur pardonner. Évidemment, Joeanna Fortunaggi n'était pas du tout le nom que les animateurs avaient voulu dire. Mais les téléspectateurs chez eux dans leur salon l'auraient sûrement déjà noté et ils auraient déjà sûrement d'eux-mêmes corrigé cette méprise.

42.

De temps à autre, Joeanna Fortunaggi étaient invitées par leur éditeur de Radelpha. L'éditeur les recevait à la maison d'édition. Leur serrant la main, il accueillait chacune des deux femmes avec exactement la même phrase. Il posait ensuite à chacune la même question, sans écouter la réponse. Ses yeux se posaient avec la même absence sur leurs deux fronts.

Il emmenait ensuite Joeanna Fortunaggi au restaurant, où il les faisait asseoir en face de lui sur la banquette. Quand le serveur apportait la carte, l'éditeur les encourageait à se laisser vraiment aller et à choisir tout ce qui leur ferait plaisir, sans se soucier du prix. Lui-même commandait une petite salade. Joeanna Fortunaggi n'osaient pas commander le chateaubriand. Elles commandaient aussi une salade. Au dessert, l'éditeur insistait pour leur offrir un tête-à-tête. Il précisait que c'était un spectacle charmant de les voir plonger leurs cuillères dans la même coupe. Elles dégustaient donc leur glace en silence, tandis que l'éditeur détaillait le volume des ventes.

Quand l'éditeur parlait, Jenna Fortuni et Joanna Fortaggi ne savaient pas à laquelle des deux il s'adressait. Il disait : Joeanna Fortunaggi, et ses yeux avaient la capacité de se poser sur chacune des deux en même temps. De ce fait, Jenna et Joanna ne savaient pas laquelle des deux devait répondre, et ces repas se déroulaient dans un demi-silence, que l'éditeur interrompait pour déballer des chiffres et des noms de nouvelles stratégies marketing.

Joanna Fortaggi connaissait bien cet éditeur. Elle le fréquentait depuis ses débuts. Ce n'était pas comme Jenna Fortuni, qui venait seulement de faire sa connaissance. Joanna était irritée de la distance à laquelle l'éditeur la maintenait. Il semblait être devenu amnésique. L'éditeur semblait avoir oublié la complicité qui l'avait lié à Joanna avant qu'il fasse apparaître son septième livre et qu'elle s'y retrouve associée à Jenna Fortuni. Joanna tentait de rappeler leur ancienne connivence en provoquant toutes sortes d'allusions au passé.

Au dessert par exemple, Joanna déclarait toujours qu'elle hésitait entre l'igloo au chocolat et le tartufo flambé. Elle le répétait plusieurs fois. L'éditeur ne montrait aucune réaction. Levant le nez de la carte, il déclarait tout à coup qu'il aurait grand plaisir à offrir un tête-à-tête meringué à Joeanna Fortunaggi. Joanna Fortaggi tentait aussi de rappeler à l'éditeur le souvenir de tous les ouvrages confectionnés en commun. Elle ne ratait pas une occasion de faire allusion, toutes les fois que c'était possible, aux couleurs des couvertures de ses premier, deuxième, troisième, quatrième, cinquième et sixième livres. C'était par exemple le tablier de la caviste, sur lequel Joanna cherchait à attirer l'attention de son éditeur. Ce tablier rappelait à merveille l'émeraude du cinquième livre de Joanna Fortaggi. Ou bien, remarquant un petit rayon de soleil sur la nappe, Joanna répétait que la lumière du soleil lui faisait toujours penser à son premier livre. Le jaune de sa couverture avait apparu comme un véritable soleil dans sa vie. Mais ces rappels ne servaient à rien. L'éditeur était sourd et aveugle. Il restait fermé comme une porte. Et, après de longs moments de silence, il en revenait encore et encore au sujet des ventes.

Les mouvements que Jenna et Joanna percevaient à l'intérieur de leur éditeur ne ressemblaient à rien de ce qu'elles pouvaient connaître. Sa matière était constituée de blocs et de plaques se heurtant et s'entrechoquant avec maladresse. Jenna et Joanna en étaient un peu mal à l'aise, mais l'éditeur ne semblait pas être conscient de ce remue-ménage. Il mangeait avec application. Il faisait signe au serveur et lui redemandait du pain. Puis il engageait une conversation sur la concurrence.

Enfin, quand l'éditeur avait fini de boire le sucre au fond de sa tasse de café, il avait coutume de conclure le repas par un laïus, plus ou moins bref. Il commençait par dire que ce repas avait été fort rassasiant. Quant au domaine artistique, il se disait satisfait. Les ventes étaient concluantes et Joeanna Fortunaggi étaient bien présentes dans le paysage. S'il appartenait à l'éditeur de faire des prédictions, le temps allait arriver où songer à un nouveau livre ne serait pas saugrenu. Mais que Joeanna Fortunaggi ne soient pas inquiètes, l'éditeur veillerait à tout. Sa superauteure ne serait pas importunée.

Pour terminer, l'éditeur entendait souligner que Radelpha était extrêmement satisfaite de l'attitude de Joeanna Fortunaggi. Joeanna Fortunaggi constituaient une excellente superauteure, dont l'obéissance faisait la fierté de la maison. L'éditeur précisait qu'il avait attrapé ces mots au vol dans un couloir, en haut lieu. Il les répétait encore une fois, pour que Joeanna Fortunaggi les intègrent: La. Fierté. De. La. Maison.

L'éditeur laissait ces mots redescendre et se poser de

tout leur poids sur leurs corps et pénétrer dans leurs os. Quand cela était accompli, l'éditeur se levait. Il était désolé de devoir brusquer la fin du repas, mais il avait à recevoir des représentants de banques de données. Le business n'avait pas de ventre. L'éditeur reposait sa serviette sur la table et, saluant sa superauteure, il quittait la salle.

Joeanna Fortunaggi se retrouvaient seules à table. Elles terminaient leur café et leur glace. Leurs cuillères parfois se frôlaient dans la large coupe, produisant un son court et haut perché. Se regarder ou se parler n'était pas utile. Elles étaient suffisamment occupées à savourer la masse glacée descendant dans leurs œsophages. À écouter les mouvements de la matière tourbillonnante qui circulait entre elles deux.

43.

La collaboration de Jenna et de Joanna n'avait pas toujours été aussi sereine. Dans les premiers temps de leur partenariat forcé, chacune avait eu peur d'être supplantée par sa collègue. Elles avaient essayé chacune à son tour d'être meilleure que l'autre et elles avaient naturellement cherché à se distinguer par leurs différences. Jenna avait pensé que Joanna certes était une femme intelligente, mais qu'en certaines occasions, elle n'avait pas sa finesse. De son côté Joanna s'était réconfortée et consolée du partage du livre en se disant que Jenna avait beau être fine, elle n'aurait jamais sa force de caractère ni son aplomb. Et certes, l'une et l'autre pouvaient encore ressentir de l'agacement, et elles pouvaient encore noter avec exaspération certains traits chez l'autre écrivaine. Joanna ne parlait-elle pas avec une pointe d'affectation ? Ne prolongeait-elle pas les *s* comme si elle était la reine de Saba ? Et Jenna n'avait-elle pas une attitude suffisante ? Et ne pinçait-elle pas les lèvres avec satisfaction en croisant les bras ? Ces critiques cependant s'évanouissaient quand les mots de Jenna et de Joanna se mélangeaient. Elles se sentaient plongées dans la même vague. Leurs voix croisées se galvanisaient. Et leur livre reposait, en signe d'elles, sur la table basse.

Le livre était toujours posé au milieu. Parfois en deux exemplaires, parfois seul. Le livre parlait de lui-même. Ce qu'il disait était lisible aux yeux qui le contemplaient, quand la caméra zoomait sur lui : que ces écrivaines étaient deux, mais que par le livre elles ne faisaient qu'une. Que leur visage pouvait être à la fois unique et changeant.

Les animateurs adoraient ce genre de situation ambiguë. Ils se montraient curieux : ils voulaient savoir si les deux romancières se fréquentaient en dehors des plateaux. Si elles passaient beaucoup de temps ensemble. Si elles s'étaient montré leur boîte rose. Si elles faisaient du Hand Touching ou se choisissaient des amis sur les mêmes catalogues. Si leurs maris s'appréciaient. Si elles mangeaient l'une chez l'autre et ce que pensait Joanna Fortaggi de l'appartement de Jenna Fortuni.

Ces questions faisaient sourire les écrivaines. Elles répondaient qu'elles passaient beaucoup de temps en leur compagnie mutuelle sur les plateaux. Par conséquent, elles n'éprouvaient pas le besoin de se voir encore plus souvent. Jenna et Joanna expliquaient qu'elles partageaient une vision. Les idées ne s'arrêtaient pas chez l'une. Elles passaient chez l'autre immédiatement. Croire que Jenna Fortuni gardait ses pensées pour elle ou que Joanna Fortaggi retenait ses impulsions dans sa tête aurait été aussi puéril que de croire que les nuages étaient arrêtés par les frontières des pays. Joanna et Jenna occupaient à deux un même espace, qui pouvait devenir plus ou moins grand. C'était le secret de leur accord : Jenna ne possédait rien qui ne soit pas aussi pour Joanna. Joanna ne possédait rien qui ne soit pas en même temps pour Jenna. Dans l'espace de leurs poitrines, elles ne possédaient rien qui ne soit pas pour toutes les deux et aussi tout de suite après pour ceux qui leur faisaient face: leurs amis, leurs enfants, les animateurs et, pourquoi pas, les régisseurs et, pourquoi pas, l'ensemble des téléspectateurs.

Désormais quand elle se retrouvait seule chez elle, Jenna pensait à Joanna à peu près comme à une amie, bien que cette amitié n'ait jamais été extériorisée sur le support de la voix. À certains instants il pouvait aussi se faire que la présence de Joanna se manifeste comme une sorte d'observatrice. Sa conscience flottait quelque part dans la pièce, assez haut, au niveau du plafond. Et il arrivait aussi à Jenna Fortuni, de manière encore plus étrange, de se sentir attirée à son tour dans l'existence de Joanna. Elle savait que c'était le cas lorsqu'elle sentait tout près d'elle les présences de ses enfants. Trois emplacements plus solides, lourds et légers à la fois.

Jenna dans cette histoire ne savait pas trop où placer son mari. Éden Fels n'avait encore jamais rencontré Joanna Fortaggi. Jenna aurait été heureuse de la lui présenter, mais une fois arrivée à cette idée elle se sentait retenue et bloquée par toute sorte d'inquiétudes: ce que Jenna partageait avec Joanna pouvait-il être partagé avec son mari? Si la réponse était oui, tous les trois n'allaient-ils pas se sentir perdus? Comment Joanna, Jenna et son mari feraient-ils pour savoir jusqu'à quel endroit s'étendait chacun d'eux? N'y avait-il pas de danger dans ce mélange? Et Jenna ne risquerait-elle pas de perdre un peu de son mari si Joanna partageait aussi son espace avec lui? Après tout Joanna Fortaggi était une femme remarquable. Elle était talentueuse. Elle avait connu tous les succès, et Jenna ne voyait pas ce que Joanna avait à lui envier.

Et si Joanna rencontrait le mari de Jenna avec ses enfants? La confusion ne serait-elle pas trop grande? Et si Joanna amenait aussi son mari?

Jenna finissait toujours par se rassurer en se disant que, puisque les contours des trois enfants de Joanna étaient pour elle facilement sensibles, il en irait de même pour Éden Fels et Joanna Fortaggi : ils ne se fondraient pas l'un dans l'autre, ils seraient capables de cerner avec précision leurs contours, et il n'y aurait absolument aucun danger pour Jenna de voir son mari se dissoudre en Joanna Fortaggi.

44.

Joanna Fortaggi était tranquillement chez elle avec son amie chinoise. Son amie avait déménagé de son village à la ville. Elle avait changé de travail. Le bruit et le trafic avaient remplacé les buffles. L'amie chinoise faisait visiter à Joanna son habitation : une espèce de boîte allongée, dans l'enceinte de son usine. Le tour du propriétaire était vite fait. Il y avait du monde. Son habitation semblait très fréquentée. L'objet qui suscitait le maximum de présentations était un vapeur-cuiseur automatique, qui ressemblait à un aspirateur. Pour autant que Joanna ait pu le comprendre, cet ustensile de rien du tout servait à l'amie chinoise à se laver, faire son thé, cuisiner des aliments, se chauffer, s'épiler, repasser et faire sa lessive.

Joanna aimait bien cette amie. Il fallait vraiment qu'un jour elle trouve le moyen de retenir son nom. À chaque fois que Joanna levait les yeux de son écran, le nom de son amie s'évanouissait de sa mémoire. Il était un nom composé, à trois éléments. L'amie chinoise, tant bien que mal, avait réussi à faire comprendre à Joanna qu'il ne fallait pas se tromper dans la prononciation de ce nom. Faute de quoi ces sons pouvaient signifier : bouchon toilettes inféconde s. Au lieu que l'amie avait expliqué se nommer : Jasmin de cumin de rose, ou une évocation fleurie dans le genre.

Joanna causait avec son amie, mais dans le même temps elle sentait que sa pensée restait vaguement accrochée à Jenna Fortuni. Contemplant la cour chinoise de l'usine, elle se demandait par exemple si Jenna était déjà allée en Chine par écran. Joanna agacée chassait tout de suite cette idée, mais la pensée de Jenna se présentait de nouveau. Elle restait à proximité, vaillante comme une petite flamme. Sa présence adhérait à elle avec entêtement.

Joanna avait vaguement fait allusion devant l'écran, une fois ou l'autre, à l'existence de Jenna Fortuni. L'amie chinoise la première fois avait répondu que la correspondance devait constituer une sacrée sourire. Une autre fois, elle avait dit que l'attention était paladolid. En fait, il n'était même pas certain que l'amie chinoise ait compris que Joanna était écrivaine, ni qu'elle sache exactement ce que signifait un plateau de télévision. Elle avait peut-être compris qu'il s'agissait d'une façon de se nourrir. Cela alors aurait expliqué pourquoi le traducteur automatique, à chaque réplique de Joanna, avait l'habitude de lancer à tout bout de champ et avec entrain les deux mots : bon appétit.

Joanna voyait ses amies d'écran entre une et deux fois par jour. Le mari de Joanna n'était pas en reste. Il s'était trouvé beaucoup d'amis tout autour du globe, avec lesquels il pouvait apprécier la musique. Un de ces amis résidait on ne savait où. Sur l'écran il apparaissait toujours dans les décors, paysages et villes les plus disparates. Le mari de Joanna, intrigué, avait mené l'enquête. Au terme de courtes recherches, il était apparu que l'ami en question vivait dans des cartes postales.

45.

Jenna Fortuni le matin lisait les nouvelles au lit. Son mari appréciait qu'elle lui fasse lecture des derniers rafraîchissements des écrans. Ce matin-là, il n'y avait pas grand-chose. Le nombre de stars ayant été filmées au lit avec un inconnu n'excédait pas la moyenne. Étaient montrées les parties charnues de seulement deux d'entre elles. Il y avait de nombreuses nouvelles stars, dont aucune ne semblait émergente à Jenna. Il y avait aussi les habituels people autopiégés. Leurs stratagèmes faisaient peine à voir.

Les people étaient des gens qui, tentant de devenir des stars, se piégeaient volontairement. Ces mises en scène étaient bien sûr tout de suite dénoncées. Et, hélas pour les people, ils étaient devenus si nombreux que le public ne parvenait pas à différencier leurs noms et leurs visages. Des catalogues de people étaient à présent nécessaires. Ces catalogues étaient tenus à jour dans des magazines, grâce auxquels le public pouvait essayer de s'y retrouver. Les people y étaient classés par sous-groupes et catégories. Ils pouvaient ainsi facilement se remplacer.

En dehors de l'actualité, d'autres rafraîchissements d'écrans étaient lisibles. Il s'était produit durant la nuit une inondation, avec élévation du niveau. Les populations médusées étaient perchées dans deux arbres. Des multinationales avaient fusionné. En fusionnant, elles avaient explosé en milliards de multinationales qui s'étaient immédiatement remises à fusionner. Les images montraient des enceintes et des toits vus d'avion. Les périmètres étaient sécurisés. Ils avaient l'air trompeusement calmes. Par-dessus les images, la voix d'un commentateur expliquait que la situation était presque hors contrôle.

Tout à coup Jenna, parcourant l'écran, laissait tomber une exclamation : l'animateur de télévision caoutchouteux venait une fois de plus de faire apparaître un roman. À cette nouvelle, le mari de Jenna levait la tête de son oreiller. Il se soulevait sur un coude et appuyait sa joue contre le bras de sa femme, afin de lire l'écran en même temps qu'elle. De nombreuses images défilaient. Elles étaient toutes sensiblement pareilles. L'animateur caoutchouteux tenait devant son menton son nouveau livre. Les commentaires aussi étaient sensiblement les mêmes : ils disaient que, non content d'être un animateur endurant et célèbre, l'animateur caoutchouteux avait encore une fois trouvé le talent et la liberté de fabriquer un nouveau livre.

Quelle faikerie dégoûtante, marmonnait le mari de Jenna. Il n'aimait pas du tout cet animateur. Celui-ci était à peu près le seul qui n'avait pas chanté les louanges absolues d'Éden Fels à la sortie de tous ses livres. Au contraire, il avait fait partie des rares personnes se demandant si le mari de Jenna n'était pas réfractaire. Il n'avait pas encensé l'entier de ses romans. Il avait bien sûr déclaré que tous étaient hors d'atteinte. Mais, environ vers le quatorzième, il avait émis une fois l'idée de l'émergence d'une faiblesse. Le mari de Jenna ne pouvait pas l'oublier.

Jenna examinait les images. La couverture du livre de l'animateur n'était même pas belle. Une fois de plus, son visage caoutchouteux s'y inscrivait entièrement. Avec sa peau jaunie, ses traits larges.

Jenna et son mari avaient maintes fois discuté la réussite de cet animateur. Pour arriver toujours au même point : cet animateur aurait-il été doté à sa conception de traits moins lourds et moins schématiques, peut-être aurait-il accompli sa vie dans un magasin. Mais la nature l'avait doté d'une tête grande et rectangulaire. D'un front épais, haut et large. D'yeux suffisamment élargis pour capturer l'attention et suffisamment masqués par les sourcils pour ne rien livrer de leur vacuum. Son nez était sans particularités, ce qui pour un nez était un exploit. La nature lui avait donné une bouche longue. Cependant la nature avait légèrement failli dans le dessin de sa lèvre inférieure : cette lèvre était beaucoup trop fine. Ce qui faisait dire à Jenna que l'on voyait à cet endroit que quelque chose dans ce visage était dérobé. Entre ces traits, les larges étendues de peau jaune étaient vides. Ces étendues étaient parfaites pour accueillir les caméras.

Comme tout le monde, Jenna et son mari discutaient de temps en temps de savoir si cet animateur était un vrai. Jenna soutenant que oui. Son mari décrétant avec satisfaction que l'animateur était une sorte de machine.

Il était de bon ton pour un animateur de faire apparaître un jour un roman. L'inverse était moins facile : bien peu nombreux les écrivains ayant réussi le passage contre nature et scabreux du siège d'auteur à celui d'animateur de télévision. Mais pour les animateurs, quoi de plus facile : à force de côtoyer des auteurs, ils avaient fini par comprendre que faire des livres n'était rien et que la gloire se gagnait avec un microgramme de mérite.

Les animateurs-écrivains différaient des simples écrivains. Leur métier restait vissé en eux. Ils avaient tendance à monopoliser la parole. En face d'eux, leurs collègues animateurs ne savaient pas comment la reprendre. Ils n'osaient pas se montrer expéditifs comme avec les autres écrivains. Cela donnait des moments étranges : tels animateurs, qui avaient en duo encerclé des générations d'écrivains, se retrouvaient en train de discourir du dernier roman de l'un des deux. Ces échanges se finissaient dans les fleurs : les livres des animateurs-écrivains étaient toujours des joyaux.

46.

Comme chaque année à la même époque, Joanna Fortaggi et son mari recevaient via leurs écrans les instructions pour le parrainage longue-distance. Les parrainages obligatoires étaient entrés dans les mœurs depuis des années. Chaque foyer désormais était tenu de parrainer un autre foyer. Les instructions étaient très simples. Plusieurs fois par an, Joanna et son mari devaient converser un nombre minimal de minutes avec des gens dont ils ne savaient que faire et qui se trouvaient positionnés quelque part sur un point du globe. Ces gens, la plupart du temps, n'avaient pas grand-chose en commun avec la famille de Joanna Fortaggi. Ils vivaient dans des habitations insolites. Leurs journées s'écoulaient de drôles de façons. Ils travaillaient comme des fous ou bien ils ne faisaient rien et ne semblaient même pas s'inquiéter du passage des heures. Leurs façons de faire étaient incompréhensibles. Joanna devait faire preuve d'ingéniosité pour trouver des sujets de conversation. En outre, leurs conversations se déroulaient dans de bizarres langues. Joanna et sa famille n'en comprenaient évidemment pas un mot.

L'heure du premier rendez-vous était imminente. Le mari de Joanna parcourait le formulaire de contact sur l'écran. On n'avait jamais vu un nom aussi bizarre, s'énervait-il en découvrant le nom de la famille à parrainer. Les garçons avaient déjà pris place devant l'écran. Ils étaient impatients de rencontrer la nouvelle famille. Ils espéraient se trouver des amis, comme cela avait été le cas l'année précédente avec les deux petites sœurs.

Enfin, l'heure indiquée s'inscrivait en noir sur l'écran. Un moteur de recherche était lancé dans la direction de la famille Toulolkblblibsi. Debout derrière ses garçons, le mari de Joanna pour les faire rire comptait solennellement jusqu'à trois. Joanna se penchait vers l'écran en même temps que lui. Au chiffre quatre, l'écran se modifiait. Il se garnissait de têtes désordonnées comme des bulles. Elles étaient nombreuses. Déterminer leur nombre exact n'était pas facile. Au lieu de s'égayer comme les autres fois, les enfants de Joanna demeuraient calmes et muets. Joanna au bout d'un petit moment parvenait à distinguer deux parents dans le groupe et, encore après, deux ancêtres.

Le mari de Joanna marmonnait. Il se demandait entre ses dents ce que c'était que cette histoire. Il ne pouvait pas parler haut. Les traducteurs automatiques étaient toujours prompts à s'emparer des mots et à les transmettre.

Le fils aîné de Joanna se demandait tout bas combien il y avait de gens dans cette famille. Le fils du milieu s'appliquait et, à la suite de plusieurs calculs, il annonçait que les enfants étaient huit ou dix. Joanna faisait signe à son mari de prendre d'abord la parole, mais celui-ci ayant refusé, un ancêtre les prenait de vitesse et ouvrait la bouche en premier. Comme attendu, sa bouche déversait un torrent de sons incompréhensibles. Qu'est-ce qu'il dit, s'exclamaient les garçons, tandis que Joanna cherchait partout une adresse de traducteur performant. Elle en trouvait une. La traduction malgré tout restait lamentable. Néanmoins, grâce à son expérience avec son amie chinoise, Joanna parvenait à trouver du sens et à rassembler des morceaux de phrases approximatives.

Les Toulolkblblibsi les saluaient et Joanna saluait les Toulolkblblibsi. À votre ce genre d'ami très heureux, nous peut également échanger comme ceci, causerie, prononçait le père Toulolkblblibsi. Le mari de Joanna, pris d'une quinte de toux, s'en allait expectorer sur le balcon. Joanna restait seule avec ses garçons. Entre les têtes remplissant l'écran, un bout de ciel était visible. Le temps chez les Toulolkblblibsi était à la pluie. Joanna tentait d'expliquer à la famille que chez elle le temps était au beau fixe, chose qui ne semblait les concerner en aucune façon. Les Toulolkblblibsi devaient être des gens particulièrement originaux ou difficiles.

Joanna se voyait déjà à court d'idées. Les Toulolkblblibsi non plus n'étaient pas bavards. Les parents étaient retenus derrière le bloc de leurs enfants se disputant les premières places pour apercevoir Joanna avec sa famille. Mais, un bras indéterminé ayant distribué depuis l'arrière des taloches, les enfants étaient repoussés de côté et à l'arrière-plan, tandis que les parents Toulolkblblibsi revenaient au centre. Joanna s'entretenait péniblement avec eux. Le moindre échange était un effort. Il fallait ânonner les phrases et se creuser la cervelle devant les réponses. Le père répétait une phrase : bien que pas dit la chose qui sont un grand nombre vous à vouloir dire, mais un joyeux très heureux est pareillement également important. Vous ladite droite ? Joanna se sentait incapable de répondre.

Derrière leurs parents, les enfants Toulolkblblibsi tournaient sans arrêt la tête vers quelque chose qui était hors champ. Joanna n'y faisait pas trop attention, mais les enfants tournaient la tête avec insistance. Joanna se demandait ce qu'il y avait là. Au filet de voix étranglée qui semblait parvenir par moments de cet endroit, elle supposait qu'il devait s'agir d'un ancêtre encore plus vieux que les deux qui étaient visibles. Un ancêtre sûrement trop âgé pour rester debout. Il restait quelques minutes à combler. Joanna à nouveau s'adressait à la famille. Elle disait qu'elle les parrainerait, et toutes sortes de mots et promesses, afin que soit épuisé le temps de contact minimum. Enfin rendez-vous suivant était pris. Joanna et ses fils faisaient au revoir de la main. Les Toulolkblblibsi les saluaient et deux fillettes poussées devant chantaient une sorte de mélodie rauque.

47.

Larsen Frol était invité sur un plateau pour un talk-show musicologique. Il s'agissait de donner son opinion sur la musique. Il y avait là un acteur qui ne savait pas qu'il était devenu trop vieux pour laisser sa blouse entrouverte. Ses longs poils brillants faisaient penser à des cheveux. Cet acteur comme passe-temps avait appris par cœur cinq cents répliques. Le public voulait toujours les mêmes, il les lui réclamait inlassablement depuis quarante ans. Mais ce soir-là, l'acteur n'avait pas encore eu l'occasion de les réciter. De jeunes actrices étaient aussi sur le canapé. Il y avait également deux écrivains de sous-catégorie, c'était-à-dire dont personne n'était en mesure de redire les noms ; une espèce de star déchue dont le come-back était annoncé depuis des années et qui hantait les plateaux en prédisant son retour. Il y avait bien sûr l'animateur, dont c'était la spécialité de conduire des émissions musicales. Et il y avait surtout Larsen Frol.

Larsen Frol tenait le crachoir depuis le début. C'était une faute professionnelle de la part de l'animateur de lui avoir donné d'entrée la parole. Vu la composition du plateau, il aurait pu sauter aux yeux d'un téléspectateur de trois ans que Larsen Frol en constituait la perle. Larsen était la cerise sur le gâteau, le morceau raffiné qu'il aurait fallu présenter aux téléspectateurs à peu près aux deux tiers de l'émission. Au lieu de quoi l'animateur avait tout gâché en lui ouvrant tout de suite le micro.

Les invités se morfondaient sur le canapé. D'un certain côté, ils n'étaient pas mécontents que quelqu'un se charge de parler pour eux. Ils n'avaient pas beaucoup de mots. D'un autre côté, ils se sentaient irrités de voir que les écrans de contrôle ne montraient toujours que Larsen Frol, Larsen Frol et encore et encore Larsen Frol, à croire qu'il était tout seul sur le plateau ou qu'il avait jeté un sort aux caméras. Et les seuls moments où les caméras embrassaient les autres invités se trouvaient être toujours, comme par hasard, ceux où les invités cherchaient des yeux l'objectif ou les moments où leur sourire se relâchait d'un cran, ou bien les moments où ils tentaient de consulter leur montre le plus discrètement possible. Il pouvait alors devenir visible à tous les téléspectateurs que ces invités-là n'étaient pas présents.

Larsen Frol n'en finissait pas de causer. Il en avait à dire sur la musique. Il était clair que Larsen avait beaucoup à dire sur tous les sujets. Mais sur celui de la musique, il se révélait carrément révolutionnaire. L'animateur lui-même était choqué. Pourtant il en avait entendu des inepties. Pendant toute sa carrière, l'animateur n'avait entendu que cela. Mais tout de même. Ce jeune auteur Frol allait trop loin. L'animateur commençait à chercher des yeux un renfort du côté des autres invités. Ceux-ci ne pouvaient rien lui fournir. Ils n'avaient pas écouté.

Larsen racontait: pour sa part, il n'écoutait pas la musique. Il y avait à présent des années qu'il ne l'avait plus écoutée. L'animateur n'en revenait pas. Cette affirmation était impossible et surnaturelle, dans le sens où l'amour de la musique était inhérent à tout être humain. Le fait que tout un chacun aimait la musique n'avait jamais besoin d'être dit. Il était inscrit dans les cellules. Pour un être humain, raffoler de la musique était aussi naturel que d'être né, vivre, avoir deux bras, deux jambes et une tête.

Mais enfin Larsen, véritablement: comment peut-il être possible que vous n'aimiez plus la musique, se hasardait à protester l'animateur. À ses épaules un peu rentrées, il était visible qu'il redoutait la réponse.

Eh bien, expliquait calmement Larsen Frol, la chose s'était produite d'un seul coup, à l'école, quand Larsen était tout petit, le matin où les instructeurs avaient annoncé aux enfants que l'existence de la matrice avait été démontrée. Il était alors devenu évident que la musique avait une existence séparée. Elle se trouvait dans un endroit, et peu importait à Larsen que cet endroit n'ait pas encore été trouvé. À ce moment, expliquait Larsen, il avait réalisé qu'il n'était pas possible d'écouter *de la* musique. On ne pouvait qu'écouter *la* musique. Pour Larsen, cette découverte avait été un vrai choc. Il ne savait pas comment s'étaient débrouillés avec cela ses contemporains. Mais pour sa part Larsen avait complètement cessé. Il ne pouvait plus l'écouter. La musique était devenue triviale. Elle était devenue un objet. La musique pour Larsen était devenue odieuse. Jusqu'à lui faire détester le grincement d'une simple chaîne oscillant au vent. Une simple amarre de bateau. Larsen pour cette raison ne faisait également pas de voile.

L'animateur gardait les sourcils circonflexes. Il demandait encore à Larsen s'il n'avait pas peur qu'un phénomène identique se produise avec les mots. Après tout, on pressentait aussi fortement l'existence quelque part d'une sorte de matrice de la langue. Larsen se rembrunissait. Effectivement, il avait lui-même commencé à composer ses livres à l'aide des nouvelles banques d'expressions. Il était trop tôt pour le dire, mais Larsen avait effectivement la vague intuition qu'il pourrait cesser aussi d'écrire, comme il avait cessé de lire et d'écouter la musique. C'était une simple intuition, et elle valait certainement ce que valaient les intuitions : un peu de poussière et de vent. Certainement ne voulait-elle rien du tout dire. Mais Larsen tout de même s'avouait inquiet.

Les invités s'assoupissant, l'animateur comprenait qu'il fallait conclure. Désignant du menton le vieil acteur, il l'envoyait brusquement dans le coin du plateau pour exécuter ses répliques. L'acteur se mettait debout. Il se rendait dans le coin du plateau et faisait résonner vingt répliques, auxquelles il avait ajouté une nouvelle prononciation arabisante.

48.

Ce qu'était la matrice musicale et où elle était située était une question qui jusqu'à ce jour avait occupé étonnamment peu d'esprits. Les enfants étaient nés et avaient grandi avec la matrice. Elle faisait partie intégrante de leur vie. Leurs parents et toutes les personnes qui se souvenaient de l'ancienne époque racontaient qu'alors, quand la matrice n'existait pas, ou plutôt, quand on ne connaissait pas son existence, la musique était beaucoup moins abondante. C'était vraiment une tout autre chose. On n'en saisissait que des bribes. Il fallait faire des efforts. On avait cru à ce moment que la musique était entièrement présente, jusqu'à ce qu'on ait réalisé par la suite qu'il ne s'était agi que de loques. De morceaux de mélodies filtrés à grand-peine de cervelles. De ficelles issues d'instruments. Désormais la plupart des gens avaient oublié ce que cette expression voulait dire : faire de la musique. Ces temps-là avaient disparu dans la profusion mélodique du présent.

Découvrir l'emplacement de la matrice musicale ne semblait pas à la portée du premier venu. Les scientifiques faisaient la moue quand les animateurs les questionnaient sur ce lieu. Certes, l'existence de la matrice musicale avait été attestée et prouvée par maintes et maintes mesures, et la musique était domestiquée. On était parvenu à la capter et à la recevoir à volonté de façon directe, sans aucun effort. La musique coulait comme dans un canal, à tous les moments, pour toutes les oreilles, sans nulle contrainte ou intermédiaire. Son flot était régulier et abondant, même si l'on ne connaissait pas précisément l'endroit d'où il provenait. En général, on partait du présupposé que ce flot était intarissable, bien qu'aucune garantie n'ait pu être trouvée. Certains spécialistes très prudents avaient préconisé de ne pas user de la musique plus que de raisonnable. Mais jusqu'alors, la musique ayant toujours coulé avec l'abondante générosité qui semblait constituer sa nature, toute retenue avait paru absurde. Tout le monde se roulait et se prélassait dans la musique, dans l'insouciance.

Larsen Frol refusait de se rouler dans la musique simplement parce que l'existence de la matrice musicale avait été découverte. Il ne voulait pas d'une musique extérieure. Elle le dégoûtait. Larsen voulait le retour de la musique intérieure. Il voulait le retour de la musique dans les cervelles. Le retour de la musique qu'on ne saisissait jamais en entier. Larsen voulait du mystère. Il ne voulait pas que la musique soit trouvée partout comme l'air, la lumière ou le vent. Il s'était souvent moqué de la matrice musicale sur les plateaux. À quoi servait-il de savoir que cette matrice existait, si on ne savait même pas où elle se trouvait ? Les téléspectateurs avaient souvent entendu Larsen réclamer tout haut que la personne qui avait révélé l'existence de la matrice fasse alors le travail jusqu'au bout et que son emplacement soit réellement découvert. Il pensait que c'était désormais la seule façon de savoir à quoi l'on avait affaire lorsqu'il s'agissait de la musique. L'emplacement de la matrice une fois repéré, Larsen se demandait si on pourrait la prendre ou la déplacer. Si on pourrait s'en emparer comme d'un trésor et peut-être en faire quelque chose. À ces mots-là, le regard de Larsen avait coutume de s'élever au-dessus de la tête de l'animateur et sa bouche restait légèrement ouverte.

Naturellement, ce qui se cachait sous ces propos était une grande curiosité et une grande soif d'aventure. Larsen n'essayait même pas de le nier : il s'était mis dans l'idée de se lancer lui-même dans ces recherches. Trouver cette matrice était nécessaire. Il fallait que quelqu'un se dévoue pour repérer son endroit. Et puisque personne sur ce globe ne voulait le faire, eh bien, il fallait sans doute que ce soit Larsen Frol.

Les caméras avaient trouvé normal de l'escorter dans sa quête. Elles s'étaient mises en mouvement pour le suivre. Mais Larsen les avaient arrêtées d'un geste : ce qu'il avait à faire n'était pas à voir. Lui-même ne savait pas ce que c'était, mais il était sûr que l'emplacement de la matrice ne se laisserait jamais déceler devant des objectifs. Et après un dernier adieu de la main, lors d'un dernier plan où l'on voyait Larsen Frol souriant, mais préoccupé, sur le seuil de son appartement, son autre main sur la poignée, sa porte s'était refermée et les caméras fixées sur son bois étaient parvenues à matérialiser de manière saisissante son intention de retraite et d'isolement. Après quoi elles avaient redescendu les escaliers.

Et Larsen derrière la porte les avait senties s'éloigner.

Ce que Larsen voulait faire de la musique, une fois découverte, n'était pas clair dans son esprit. Il avait la vague impression qu'il devait la neutraliser. Mais en même temps, qu'il devait aussi la sauver et la mettre à l'abri de ceux qui l'exploitaient. Il devait redonner à la musique sa beauté. Lui redonner son espace de secret et tranquillité. Recréer son indépendance. L'idée lui venait aussi de la museler et de la ficeler dans un filet bien serré.

A chaque fois, Larsen avait des frissons dans le dos et sur les bras à la pensée de l'image qui allait se manifester devant ses yeux. La matrice musicale. Une chose qu'aucun œil humain n'avait jamais vue. Une chose totalement inédite. À quoi ressemblerait-elle? À un vulgaire objet? Une machine? La musique occuperait-elle une grande ou une petite place? Ne lui apparaîtrait-elle pas comme une sorte de fumisterie, quand Larsen la retrouverait, quand ils seraient face à face? C'était ce qui lui faisait peur: que la musique à la fin ne soit rien de neuf ou qu'elle ait été montée de toutes pièces par les multinationales.

Pour commencer, Larsen s'était volontairement tenu à l'écart de la musique. Certes, il ne l'écoutait plus depuis des années, mais la musique était devenue si facile qu'elle circulait désormais partout. Il fallait lutter pour ne pas entrer en contact. La musique rattrapait Larsen pour ainsi dire à chaque pas. Pour cette raison, Larsen avait dans l'idée qu'il devait tout d'abord trouver un coin de silence constituant, du point de vue de la musique, un espace vide, avant de pouvoir percevoir où était positionnée sa matrice. C'était peut-être pour cela que les spécialistes n'avaient pas réussi à déterminer son endroit: ils s'étaient laissé envahir par la musique, sans penser que la matrice était dissimulée en quelque sorte derrière son propre état. La musique derrière la musique. Oui, c'était simplement cela, la stratégie de Larsen: se placer dans un lieu sans la musique et, à partir de là, regarder dans l'espace qui serait créé si la musique était distinguable. S'il apercevait sa matrice ou, du moins, un indice sur la direction à prendre.

Larsen un jour entier s'était promené. Il était allé dans des campagnes. Il était allé dans des étendues, à quelques bovins près, désertiques. Il avait voyagé sur de l'eau. À chaque fois, quand la musique l'avait rattrapé, il avait perdu tout son flair et ses recherches étaient revenues à zéro. Il n'avait plus su où aller. La musique était la plus forte. Ce n'était pas vraiment de sa faute. Elle coulait, sans se poser de question. Sa matrice était abondante. Elle se déversait sans restriction. Il fallait simplement l'éviter. Ce n'était pas très facile. La musique coulait universellement. Larsen en fin de compte était revenu dans sa chambre.

49.

La musique était devant Larsen. Il la percevait distinctement. Elle était grosse et allongée comme une outre pleine. De minces filins clairs étaient passés autour de son gros corps, exactement comme Larsen avait rêvé de la saucissonner. Larsen avait immédiatement compris que ces filins étaient là pour la retenir et empêcher que la matrice musicale, dérivant, ne s'éloigne lentement à jamais. Les filins sous la matrice n'étaient pas droits. Ils se recourbaient mollement, sans la moindre tension. Ces filins étaient de matière souple et de couleur beige, de largeur et épaisseur inégales. Ils ressemblaient à des boyaux et n'étaient pas très différents de la crépine dentelée que Larsen avait pu voir dans son enfance, sur la table de la cuisine.

L'animateur devenait pressant : mais comment véritablement Larsen avait-il mis la main sur la matrice de la musique ?

Larsen ne se laissait pas bousculer. Il savait qu'il avait tout son temps. La découverte de l'emplacement de la matrice musicale lui conférait une importance telle qu'il pouvait se permettre de s'opposer au déferlement des génériques. Il reprenait calmement : la matrice musicale, il n'avait mis qu'un ou deux jours à la situer.

Elle n'était vraiment pas difficile à cerner. La recherche avait été courte. La matrice musicale n'était pas loin. La question unique avait été : de quel côté se tourner ? Et pendant ce court laps de temps, Larsen s'en excusait, il n'avait pas pensé une seule minute à tenir les caméras au courant.

Après une petite excursion, qui avait été sans succès, Larsen était resté un jour entier chez lui. Puis il s'était promené dans un parc. La musique sur ses bords était encore audible. Larsen s'était donc rendu au centre de la pelouse. Puis, sans que Larsen s'en soit aperçu, il y avait eu soudain un assez long temps que la musique ne s'entendait plus. C'était alors que Larsen avait pensé à s'allonger. Vraiment quelque chose de bizarre, parce que Larsen n'avait pas sommeil. Il avait cependant senti qu'il devait le faire. Larsen s'était donc couché au pied d'un tout petit arbre.

L'animateur l'interrompait : mais enfin, Larsen Frol, pourquoi avoir choisi cet endroit, ce petit arbre ?

Larsen expliquait : la pelouse était vaste et large, il était difficile de choisir un endroit. Pourquoi plutôt ici, pourquoi là ? Tous les endroits étaient plats, verts, couverts de nombreux brins d'herbe. Sur cette pelouse, Larsen n'aurait pas pu dire où il se couchait. Les brins d'herbe étaient partout les mêmes. En fin de compte il s'était rendu au pied de cet arbrisseau.

Larsen, en se couchant, avait remarqué que l'arbre n'avait presque pas de feuilles. Elles n'avaient pas encore poussé. L'arbre venait d'être planté et il n'était même pas sûr que les racines prennent. Cet arbre était maigrichon. Mais son tuteur avait l'air solide. Larsen n'avait pas dormi. C'était alors qu'il avait ressenti la présence de la matrice musicale. Il avait levé les yeux et la matrice était non loin de lui. Exactement comme il l'avait déjà décrite. Une grosse outre, grise et calme. Le ciel était gris et couvert.

L'animateur était suspendu aux lèvres de Larsen. Le générique poussait et voulait commencer un peu à s'écouler, mais l'animateur faisait un geste pour signifier aux régisseurs de ne pas le laisser descendre. Tant pis pour les minutes de retard se répercutant implacablement sur le programme. Le récit de Larsen Frol était trop prenant.

Alors Larsen, qu'est-ce que vous avez fait ? Ce devait être stupéfiant de voir soudain la matrice ! reprenait l'animateur avec une pépite dans les yeux.

Larsen décidément ne se laissait pas bousculer. Il était sûr de sa force. Il continuait : quand il avait vu la matrice musicale à une certaine distance, sa première réaction avait été d'avoir peur. La matrice était plus haute et, tombant sur lui, elle aurait pu l'écraser. Il s'était ensuite approché des filins qui s'arrondissaient mollement. Il en avait saisi un. La matrice avait oscillé. La chose bizarre était que Larsen n'entendait absolument pas la musique. Vraiment pas une note. L'air était désert et silencieux, comme depuis longtemps Larsen ne l'avait pas vécu.

De temps en temps, la matrice était ébranlée de légers oscillements. Larsen avait supposé qu'il s'agissait des moments où la musique s'écoulait de son outre. Elle devait être envoyée au loin. Elle devait faire vibrer ailleurs, par un système inconnu de transmission transparente. La matrice était comme un dirigeable. Un dirigeable mou. Larsen avait saisi des filins. Il les avait examinés : les filins n'étaient pas fixés. Larsen avait tiré sur eux. Il avait promené la matrice un petit moment. Elle n'était pas si lourde. Il y avait un certain décalage entre le moment où Larsen tirait et où la matrice se mettait en mouvement. Elle était souple et lente. Si Larsen s'arrêtait, la matrice ne s'arrêtait pas tout de suite. Elle continuait un peu sur son élan et dépassait Larsen avant de s'immobiliser. Larsen avait joué avec elle. Puis il s'était mis à courir. Les filins étaient tous dans sa main. Il les avait lâchés. La matrice avait continué sur sa lancée. Larsen l'avait regardée s'éloigner. Elle était partie lentement, tous ses filins droits et pendants. C'était une dérive très très lente. Par moments, Larsen avait cru voir que la matrice musicale s'arrêtait. Mais non, elle reprenait sa dérive.

Voilà, c'était tout. Le récit était terminé, annonçait Larsen en joignant les mains sur ses cuisses. Il ne savait pas où la matrice musicale était allée, si toutefois elle était allée quelque part. Mais il espérait qu'elle ne reviendrait pas ou que l'on mettrait des années ou quelques siècles pour la retrouver.

Larsen encore levait une main : quand il avait lâché les filins, un lambeau, sans qu'il le veuille, lui était resté dans la main. Il l'avait gardé depuis lors enroulé, ainsi qu'il était, autour de sa paume. Larsen le faisait voir à la caméra : un morceau élastique, blanc et mou, effectivement un peu comme de la crépine.

50.

Au fur et à mesure du récit de Larsen, le front et les joues de l'animateur avaient paru se décomposer. Quand Larsen avait laissé tomber le dernier mot, la mâchoire inférieure de l'animateur était restée de longues secondes pendante, grande ouverte, pour mimer la stupéfaction. Quelques people l'imitaient, en y ajoutant des sons étouffés.

L'animateur voulait que tout soit bien clair pour tout le monde. Il reprenait les questions en martelant les mots, comme s'il s'agissait du Jeu des Milliards de Boules de Gomme: Larsen était-il bien sûr qu'il s'agissait de la matrice de la musique? Était-il bien sûr qu'il ne savait pas où elle était allée? Larsen se rendait-il compte de la portée de son geste?

Larsen répondait oui à toutes les questions. Son regard était fier et brillant. Il était fier de son acte. Il avait rendu à la musique sa liberté et sa sauvagerie. La musique n'était plus un animal que l'on pouvait traire. Il allait falloir de nouveau la mériter. La musique avait retrouvé sa dignité. Et tout cela grâce à lui, Larsen Frol. Son nom était entré dans l'Histoire.

L'animateur au bout du compte était sceptique. Il ne pouvait croire à une telle légèreté. Alors, si ce que

Larsen avait dit était vrai et n'était pas du bluff, la musique serait donc partie à la dérive. Elle aurait dû être déjà en train de s'éloigner. Désormais, si cela encore une fois était vrai, l'Humanité risquerait de perdre peut-être à tout jamais la musique. La perspective, même hypothétique, était accablante. Il devait y avoir plus de dix ans qu'une prédiction de mauvais augure n'avait pas été énoncée sur un plateau. L'animateur le faisait comprendre en laissant quatre secondes de vide. Le plateau s'étant docilement recueilli, l'animateur, le visage soucieux, accordait d'un geste la parole aux autres invités.

Un certain Maculato Buffalo Walk Hispu Hispi Hey, qui était écrivain et qui faisait commerce en parallèle d'objets et d'images à son nom, apostrophait Larsen Frol : ces histoires étaient bien jolies, mais à quoi cela servait-il de les écouter, si Larsen Frol n'avait pas de preuves ? Où étaient donc les images ? Et où était cette matrice ? Maculato Buffalo Walk Hispu Hispi Hey attendait que Larsen leur en donne davantage qu'un morceau de crépine de porc en lambeaux. Car lui-même n'était pas du genre à croire les gens uniquement sur parole. Le public présent dans le studio applaudissait. Ce Maculato Buffalo Walk Hispu Hispi Hey était connu pour ses opinions directes, claires, et son caractère entier. Il ne faisait jamais dans la dentelle. Ce n'était pas pour rien qu'il s'était choisi un tel patronyme. Il savait donner de la voix et rouspéter, raison pour laquelle il recevait du respect.

Quelques invités se joignaient à lui pour inviter Larsen Frol, plus ou moins directement, à leur dire ce qu'il avait fait de la matrice musicale. Une actrice disait qu'elle était prête à se faire piéger avec lui, à la condition que la chose se passe dans la matrice, déclenchant un tonnerre d'applaudissements. L'animateur ragaillardi rembrayait la discussion sur la disparition de la musique. Les nombreux invités du plateau étaient encouragés à donner leur avis. Ils se montraient peu concernés. La plupart d'entre eux disaient carrément qu'ils n'y croyaient pas. D'autres, qu'ils s'en fichaient. D'autres, qu'il fallait attendre de voir. Des chanteurs, que la musique artificielle n'était pas aussi nulle que les écrivains avaient toujours essayé de le faire croire.

Le tour de parole de Joeanna Fortunaggi arrivait. Joanna Fortaggi disait que, sans la musique, la vie n'en serait pas moins passionnante et qu'elle pourrait désormais peut-être trouver chez elle un semblant de paix, son fils aîné s'amusant de manière agaçante et incessante à se vautrer dans la musique, quand il n'était pas dans les livres. Elle ajoutait qu'elle ne regretterait qu'une seule chose : les mélodies toujours ravissantes du signal de la porte d'entrée, que son mari avait confiées aux algorithmes. Jenna Fortuni de son côté disait qu'avec ses deux petits Jack et Pam, elle n'avait pas ce genre de problème. Ils n'écoutaient pas la musique, pour la simple et bonne raison que, comme tout un chacun finissait par le savoir, ils étaient des stickers. La seule musique, chez Jenna, qui posait problème était les sifflements de l'oiseau. Mais à moins de le désosser, Jenna voyait mal comment elle aurait pu séparer l'oiseau de la musique. Raison pour laquelle Jenna était forcée de l'écouter.

À partir de là, la discussion bifurquait sur les oiseaux et sur ce qu'était en vérité la musique. La question depuis une éternité restait ouverte. Car, enfin, une mélodie passant par l'intermédiaire d'un gosier, si étroit et malformé qu'il ait pu être, pouvait-elle être considérée comme étant la musique ? Étant donné qu'elle ne semblait pas provenir directement de la matrice ?

La discussion aurait pu se prolonger, mais Maculato Buffalo Walk Hispu Hispi Hey étant intervenu pour brailler à pleine gorge et ayant de ce fait donné preuve une fois pour toutes et en direct de l'inanité de la musique de gosier, le chapitre avait été rapidement clos.

51.

Ensuite, l'opinion publique avait eu besoin d'un certain temps pour s'en persuader. Mais, les jours passant et le flot des mélodies faiblissant, il n'y avait plus eu de doutes : la matrice s'en était allée. Oui, le pire était arrivé : la musique avait disparu. En tous les cas, les oreilles avaient cessé de capter la matrice. Son flot généreux s'était tari. Plus personne ne pouvait s'y vautrer. Les amateurs à l'affût ne percevaient que du rien. Et le fait était avéré : il avait même été attesté par des scientifiques. Il n'y avait plus guère que des originaux pour le nier et prétendre que cette absence de musique n'était pas absence, mais présence d'une musique d'une nouvelle espèce. Une musique tout en plaques, très solide. Ces farfelus-là ne voulaient pas admettre que la musique avait disparu. Ils ne voulaient pas reconnaître que le désert qui s'était installé pouvait durer peut-être encore trois cents ans, jusqu'à ce que l'on découvre à nouveau une matrice de la musique. Et qui pouvait dire si cette matrice-là serait la même que la première fois ? Qui pouvait dire s'il n'existait pas deux matrices de la musique ? Ou trois ? Ou quatre ? Et ainsi de suite ? Qui pouvait dire si la matrice sur laquelle on mettrait la main, d'ici quelques centaines d'années, ou dizaines, si on avait de la chance, serait d'aussi bonne qualité que la première qu'on avait trouvée, dans la musique de laquelle on avait pu si délicieusement se reposer ?

Les messages engorgeaient les écrans. La plupart des témoignages indiquaient que l'ennui gagnait du terrain. On ne savait plus dans quoi se prélasser. La musique avait laissé un vide. Les animateurs étaient débordés. Les talk-shows désormais avaient pour sujet : la musique a-t-elle vraiment disparu ? Ou : faut-il refaire de la musique ? Ou encore : les derniers grands témoins de la musique.

Dans ce contexte, on s'était rappelé l'existence de l'aventurière à l'origine de la découverte de la matrice. Elle s'appelait Ada Mutik-Chutt. Son nom et son visage étaient encore familiers. Au temps déjà ancien de la découverte, elle avait quasiment vécu en compagnie des caméras. Elle était ce que l'on appelait une Sommité. À côté d'elle, un prix Moebel était un nain. Cette célèbre femme était toujours associée à la matrice de la musique, à laquelle elle avait d'ailleurs failli donner son nom. Mais, pour d'obscures raisons de phonétique, ce baptême n'avait pas eu lieu.

Quand la musique avait disparu, toutes les caméras s'étaient donc naturellement retournées vers Ada Mutik-Chutt. On avait naïvement espéré que l'héroïne qui avait réussi à prouver l'existence de la matrice serait capable une deuxième fois de la déceler. Qu'elle serait la bonne personne pour en parler et possiblement avancer des éléments de réponse. Mais Ada Mutik-Chutt, de retour sur les plateaux, avait hoché la tête. Elle ne savait pas comment retrouver cette matrice. La première fois déjà avait été un trait d'intuition. Ada Mutik-Chutt ne savait plus très bien quelles équations elle avait réussi à désembrouiller pour mettre la main sur elle. Mutik-Chutt inclinait sa tête, mouvement qui faisait découvrir avec épouvante aux yeux des téléspectateurs que leur grande aventurière était devenue chauve. Le temps avait bien travaillé. Les téléspectateurs voyaient que la tête de leur Sommité était toute chenue et pelliculeuse. Elle présentait des places aussi vides que l'espace du monde sans la matrice. De plus, les mains de Mutik-Chutt frémissaient sans interruption. Sa voix avait des écailles.

Sur son siège, Mutik-Chutt, sans se douter de son effet, hochait continuellement la tête. Non, elle ne savait pas que conseiller. La découverte de la matrice avait été pour elle une telle fascination ! À l'invitation de l'animateur, et pour la dix-millionième fois, Ada Mutik-Chutt racontait sur le plateau la Découverte, que la mémoire collective avait embellie : ce fameux jour historique, l'aventurière Mutik-Chutt se promenait dans les étoiles à l'aide de son télescope. Son estomac s'était rappelé à elle déjà à plusieurs reprises. Elle avait très faim. C'était du temps où elle était jeune et où elle n'avait pas de peine à se tenir des heures et des heures sur ses jambes, le regard plongé dans son télescope. Le télescope était situé sur le toit. Au bout d'un certain nombre d'heures, Ada Mutik-Chutt s'était sentie fatiguée. Elle était rentrée. Son regard alors avait été attiré par un disque qui traînait dans son atelier. Un banal petit rond de métal, comme il s'en produisait à l'époque en quantité.

Ada Mutik-Chutt aimait beaucoup la musique. Elle en écoutait, comme cela se disait à l'époque. Devant ce disque, elle avait sombré dans une rêverie au cours de laquelle il lui était apparu qu'un simple disque ne pouvait pas contenir la musique. Cette façon de voir était trop étriquée. La musique ne pouvait être que d'un seul tenant. Il ne devait pas être possible de la partager. La musique n'avait sûrement ni début ni fin. Elle ne devait pas être consommée ainsi par miettes. Elle devait être appréhendée comme un tout et non par le truchement de ces petits disques.

À ce moment, Ada Mutik-Chutt avait senti des frissons glacés sur son dos et ses omoplates. Son estomac s'était une fois de plus rappelé à elle et elle avait ouvert son frigo. À l'intérieur il y avait un œuf. L'aventurière l'avait saisi entre ses doigts et soudain elle avait compris que l'œuf était une petite matrice. Comme la musique en était une. Et, tout comme la main pouvait toucher la coquille et le nez respirer son odeur de poule, de même la musique pouvait être considérée comme un élément en soi. Caressé du creux de la paume. Cueilli au fond des oreilles. Ce qui n'empêchait pas la coquille de livrer quand on le souhaitait son jaune et son blanc, de même que la musique devait livrer ses mélodies et ses notes.

Et dans ce même éblouissement l'aventurière avait saisi qu'il devait être possible de dénicher la musique. Un œuf sortait d'une poule, qui était une sorte de circuit. Toute chose était issue d'un circuit. Même les étoiles, les systèmes solaires et les galaxies en quelque sorte sortaient eux-mêmes d'un circuit. Certes, la musique devait provenir d'un circuit des centaines de fois plus complexe qu'une poule. N'empêche que tout circuit devait par obligation comporter une entrée et une sortie, pour la bonne raison que tout, tout, tout, tout, tout ce qui était dans l'univers était disposé sur l'échelle ondulée du temps, où toute chose, petite ou grande, était forcée de se dérouler. L'aventurière avait perçu que la musique elle-même ne pouvait pas y échapper. Son circuit devait exister. Il devait donc par force être possible de le repérer. Il suffirait ensuite de découvrir son extrémité. Oui, Ada Mutik-Chutt devait pouvoir y arriver. Et au terme de tout cela, déceler la matrice de la musique.

Alors, toujours dans l'éblouissement, l'aventurière Mutik-Chutt s'était immédiatement lancée dans des calculs et des équations qui l'avaient menée jusqu'à l'existence de la matrice, et sur le seuil de la gloire. Le surlendemain, elle était célèbre. Et elle avait perdu deux kilos.

L'animateur de télévision se rendait compte qu'il fallait ici applaudir. Il lançait les applaudissements et les enregistrements de rires. Ce n'était pas de sa faute s'il avait failli s'endormir. Cette histoire de l'œuf et de la matrice était si banale. Tout le monde l'avait déjà racontée.

Par la suite, Ada Mutik-Chutt avait été retrouvée morte dans son salon, peu de temps après sa vingtième émission sur la disparition de la matrice. Son compagnon disait qu'il n'avait rien entendu. Elle était étendue sur le tapis. Les guérisseurs appelés sur place n'avaient rien pu faire. Aux caméras, ils avaient déclaré que le cœur était spongieux, ouvert, blanc. Après ces déclarations, les caméras s'étaient déposées en point d'orgue, avec beaucoup de délicatesse et de goût, sur un bouquet de chrysanthèmes qui se trouvait, par une coïncidence toute mutik-chuttienne, sur la table du salon, et la lourde pluie des éloges avait pu se mettre à tomber, goutte à goutte.

52.

Sur la disparition de la matrice, il y avait peu d'éléments. À part les déclarations de Larsen, qui avaient laissé la majorité des téléspectateurs sceptiques et qui avaient été considérées par beaucoup comme du bluff, on ne voyait aucune piste. Le flot de la matrice s'était tari, voilà tout. Et à moins de lancer une expédition pour définir son emplacement, il n'y avait aucune certitude qu'elle se révèle un jour de nouveau accessible.

À ce point-là, il se trouvait beaucoup de gens désireux de revenir à l'ancienne façon. La façon ancienne d'obtenir de la musique n'était peut-être pas si stupide. Bien sûr, elle demandait des efforts, et tout le monde ne pouvait pas faire n'importe quoi pour obtenir la musique. Des études étaient nécessaires, au terme desquelles on pouvait espérer la tenir sous les doigts ou dans la bouche.

Des voix s'élevaient pour protester que la musique risquait de devenir anti démocratique, soutenant qu'elle était à tout le monde et qu'il était important qu'elle demeure extérieure et impersonnelle. Mais cette opinion perdait du terrain. On discutait d'écoles de musique qui voulaient s'ouvrir. Les gens s'intéressaient aux instruments. Dans ce grand mouvement rétrograde, on songeait à enseigner à nouveau diverses techniques.

C'était dans ces circonstances que Larsen Frol, une fois de plus, avait fait sa réapparition sur un plateau. Après la disparition de la musique, il s'était de nouveau éloigné des caméras. Des sources infondées avaient affirmé que Larsen était en tournée en Autriche, sans préciser si c'était par écran. Des amis avaient prétendu que Larsen avait été vu dans des soirées de Hand Touching. Ces témoignages étaient peu fiables, dans la mesure où la description de Larsen dans la bouche des amis coïncidait avec le signalement de dizaines de jeunes écrivains.

Larsen ce soir-là n'était pas venu seul à l'émission. Il s'était présenté en compagnie d'une sorte de caisse en forme de poire dont le pédicule était recouvert de cordes alignées. Prenant place sur le plateau, il avait répondu aux questions ébahies des animateurs. Il avait aussi volontiers abandonné sa caisse en bois aux caméras, qui l'avaient minutieusement parcourue et léchée. La petite ouverture qui perçait la surface de la caisse avait particulièrement retenu l'attention des objectifs. Ce trou rond était attirant. Mais dans leurs tentatives de s'y glisser, les caméras avaient été maintenues au-dehors par le fin réseau de cordes qui le recouvrait. Suite aux questions qu'il avait reçues, Larsen avait indiqué que la caisse en bois se nommait guitare. Il s'agissait d'un instrument. Et il était possible d'en tirer de la musique, comme Larsen voulait en faire sur-le-champ la démonstration.

Les poils de tous les invités présents avaient frémi, ainsi que ceux des téléspectateurs devant leurs écrans. La bouche des deux animateurs avait esquissé une moue qui pouvait devenir dubitative. L'heure avait paru immensément grave. Larsen s'était assis jambes croisées sur un tabouret. Il avait coincé la guitare sous son aisselle droite. Avant de se mettre à toucher les cordes, il avait voulu préciser que, s'estimant responsable de la disparition de la matrice, il entendait donner l'exemple et montrer à tous comment se faisait de la musique. Il entendait faire comprendre aux enfants que la musique n'était pas un accessoire. Elle était vivante et changeante. Elle devait naître de l'intérieur de quelque chose ou de quelqu'un. Raison pour laquelle Larsen s'était formé et avait disparu quelque temps pour réapprendre cet instrument qu'il avait déjà caressé durant son enfance.

Un des animateurs s'exclamait: vraiment, ce Larsen Frol était plein de surprises. Il était un jeune homme ambitieux. Non content de s'attribuer la responsabilité de la disparition de la matrice, il voulait à présent ramener le monde à l'ancienne façon! Eh bien, on ne demandait qu'à l'entendre!

Les deux animateurs se retiraient du champ. Larsen était au centre de l'image. Il lançait un coup d'œil à Joeanna Fortunaggi, assises parmi les nombreux invités, et ses mains se posaient sur la guitare. Dans le studio, les vibrations des appareils avaient forci. On aurait dit que l'intensité des projecteurs avait décuplé.

53.

Au moment où Larsen touchait la guitare, il semblait à Jenna Fortuni qu'elle se retrouvait au cœur d'une vision surnaturelle. Elle observait les deux bras de Larsen. Ces bras lui apparaissaient comme deux tronçons imprécis. Mais voilà que chaque bras se développait en une main. La chose n'allait pas de soi. Jenna la comprenait comme une découverte. Elle voyait que les bras avaient été deux tronçons de chair avant de s'affirmer et se partager en doigts fins. Jenna suivait intimement l'allongement des bras, puis leurs divisions en phalanges courtes et articulées. Elle voyait que les mains étaient habitées. Elles prenaient leurs racines dans la tête. Les mains étaient le prolongement de l'esprit, grâce auxquelles ce dernier pouvait s'incarner et agir.

Il en allait de même pour les oreilles. Larsen pinçait des doigts une corde de la guitare, et Jenna voyait un son se détacher et venir matériellement en direction de son oreille droite, le long d'un canal transparent qui n'était pourtant pas visible. Le son venait à elle dans cette corne d'air. Il parvenait à son oreille. Ce n'était pas quelque chose d'habituel. Il visitait son cerveau. Jenna était touchée par ce son. Comme tout son, il était unique. Le son se coulait dans sa poitrine, où il se posait à une place qu'il semblait reconnaître et retrouver pour l'avoir occupée il y avait déjà fort longtemps. Oui, il y avait si longtemps que Jenna n'avait pas été frappée par un son ! Le lieu où celui-ci avait glissé oscillait dans sa poitrine. Il était devenu du cristal. Le son avait continué d'y vibrer. Le cristal en Jenna s'était irisé. Et d'autres sons à sa suite venaient s'y déposer.

Sous les doigts de Larsen, les cordes de la guitare détachaient d'innombrables particules de sons qui étaient chacune plus cristalline et aérienne que la précédente. Ce détachement de sons était exquis. C'était un ravissement. La succession des sons microscopiques était extraordinairement délicate. Elle massait le cœur et la poitrine. Les invités devenaient transparents. Et cette douche de sons détachés ne présentait nulle faiblesse ou interruption. Elle vibrait dans l'ensemble des corps présents sur le plateau et semblait transformer toutes leurs cellules en même temps.

Jenna la sentait couler jusque sous ses pieds. Les cameramen non plus n'y étaient pas insensibles. Leurs orteils remuaient sous cette douche. Les animateurs eux-mêmes étaient charmés. Ils détendaient leur main gauche et leurs fiches de paume s'éparpillaient sur le sol. Ils ne faisaient pas un geste pour les ramasser. Ils voyaient qu'elles étaient caduques. Ils s'inclinaient l'un vers l'autre. Jenna ne pouvait pas entendre ce qu'ils se disaient à l'oreille, mais certainement leurs mots mêmes étaient nés dans le cristal des sons.

Jenna Fortuni tout à coup avait envie de se lever. La source des sons était loin d'elle. Elle avait besoin de s'en approcher. Le fil de son micro-cravate la retenant, elle s'en défaisait et le déposait sur son siège. Joanna Fortaggi se levait aussi et déposait son micro, avec un beau déhanché. D'autres invités les imitaient et se levaient, et tous se retrouvaient devant Larsen, dont les doigts détachaient toujours des parcelles de sons sur les cordes.

Les caméras pour une fois étaient restées en arrière. Elles montraient les dos des stars et des écrivains massés autour de la guitare. Elles ne pouvaient pas filmer ce que regardaient les invités. Car qu'auraient donc pu montrer des caméras? Ce qui se passait n'était pas à voir.

Au bout d'un certain laps de temps, les deux animateurs s'ébrouant reprenaient leurs esprits. Ils demandaient chaleureusement à leurs invités de revenir à leurs sièges et à leurs micros. La musique n'allait pas partir. Il n'était pas du tout nécessaire de s'en approcher. À coup sûr, la matrice de la musique ayant longtemps régné, l'ancienne façon d'en faire était peut-être oubliée, raison pour laquelle les animateurs se faisaient un plaisir d'improviser et de rappeler quelques-unes des caractéristiques de la musique: la musique était immatérielle. On ne pouvait pas l'attraper. La musique n'était pas une chose. Seuls étaient sensibles les sons par l'intermédiaire des oreilles. La musique traditionnellement ne se produisait pas d'elle-même. Il fallait la susciter.

Un des animateurs fort à propos se levait et s'approchait de Larsen assis et jouant de sa guitare. Il demandait à la caméra de filmer les doigts de Larsen qui s'activaient sur les cordes. Il expliquait: les doigts par leur frottement et leur pincement sur les cordes provoquaient une vibration, laquelle pouvait être comprise comme une espèce d'onde. De là naissait la musique. Oui, cela était la musique. De cette façon la personne qui la provoquait pouvait décider de ses nuances et de ses mouvements et modeler la musique totalement à sa guise. Que ce processus puisse sembler laborieux et compliqué à tous les gens qui avaient connu l'autre musique, celle qui venait de la matrice et qui était extérieure, l'animateur le concevait bien. Il envoyait tous ses vœux de condoléance à ceux qui se sentaient lésés ou déçus. Mais à présent il allait falloir en passer par là. La musique de matrice était révolue.

Un artiste invité à parler renchérissait : oui, hélas, il faudrait en passer par là. Dorénavant la musique ne pourrait plus naître autrement. Elle ne serait plus entière et isolée. Elle devrait en quelque sorte toujours faire corps avec autre chose. Elle devrait être unie intimement.

Le deuxième animateur allait conclure. Il s'écriait qu'il y avait tout de même des avantages à cette ancienne méthode. Les téléspectateurs devaient en convenir. Car qu'y avait-il de plus charmant qu'un jeune et joli jeune homme, tenant dans ses mains une magnifique caisse en bois décorée, et qui, non content de ravir les yeux, ravissait de plus les oreilles ?

Au même moment, Larsen plaquait sur la guitare un dernier accord. Après lequel, relevant la tête, il offrait à la caméra le plus merveilleux des sourires.

54.

La science faisait de rapides bonds en avant. Et avec elle la recherche sur le mot faisait des progrès géants. On se trouvait désormais presque en mesure de saisir en une fraction de seconde toute l'essence, la complexité, la profondeur, l'envergure, la portée et l'impact d'un seul mot. Les mots par conséquent étaient devenus beaucoup plus puissants. Ils faisaient davantage d'effet. Il fallait les utiliser avec de plus grandes précautions.

Les spécialistes sur les plateaux mettaient les téléspectateurs en garde : le mot, dans les prochains temps, allait devenir si efficient qu'il allait falloir réfléchir davantage avant de l'articuler. À peine sorti de la gorge, un mot allait irradier ses particules potentes et superinvisibles dans n'importe quelle direction. Il faudrait protéger les enfants. D'un autre côté, avec cet aiguisement des consciences qui n'allait pas manquer de se produire suite à la compréhension en profondeur du mot, s'exprimer allait aussi devenir plus rapide et moins fatigant.

L'effet de ces recherches se faisait immédiatement sentir. Elles bouleversaient déjà les talk-shows. De plus en plus d'animateurs, d'invités, de sportifs ou de stars se mettaient à s'extérioriser de la nouvelle façon. Au lieu de s'égarer dans des phrases, ils s'exprimaient le plus souvent par un seul mot. Cela donnait des moments touchants. Tel animateur par exemple, écoutant un artiste raconter, ne pouvait plus se retenir et prononçait : Larmes, Larmes, tandis que les spectateurs applaudissaient. Tel auteur, derrière son livre tout frais sorti de l'édition, ne sachant pas autrement se faire comprendre, trouvait la solution dans un mot. Il répétait : Satisfaction. Les caméras s'attardaient sur lui.

Cette nouvelle utilisation du mot était sensationnelle. Elle rapprochait les gens. Elle faisait battre les cœurs à l'unisson. Les invités qui persistaient à s'emberlificoter dans des phrases prenaient tout à coup l'air de mastodontes. Ils étaient immédiatement du vieux temps. Ils devenaient instantanément ridicules. Plus personne n'avait l'envie de perdre son temps avec ces salades approximatives. On voulait arriver au cœur. On voulait toucher à la colonne. Et quoi de plus convaincant qu'un mot prononcé avec fraîcheur, avec totale clairvoyance, avec conviction. Quoi de plus émouvant que le mot : Espoir, prononcé les yeux humides, ou que : Déception, articulé de toute la profondeur de son âme. Oui, les êtres vibraient à l'unisson. Et il n'existait plus aucun endroit où s'isoler sous le prétexte de ne pas comprendre. Tout le monde était retenu sur le même plan.

Le seul désavantage du nouveau système était que les conversations devenaient plus maigres. Cependant les producteurs avaient trouvé une astuce : sitôt un mot énoncé, ils le faisaient apparaître physiquement, en toutes lettres. Un mot sorti d'une bouche prenait une vraie existence. Il occupait un espace. Il venait s'inscrire en arrière-fond des invités sur les plateaux. Les lettres étaient vives et brillantes. Leurs couleurs étaient variées. Elles flottaient par-dessus les reproductions des couvertures des livres.

On reconnaissait une fin d'émission au fait que les invités étaient entourés d'une multitude de mots chatoyants se superposant et se heurtant dans un joyeux désordre. Des mots ondulants, mouvants, clignotants, grâce au mélange desquels le téléspectateur allumant en retard son écran pouvait comprendre en un coup d'œil de quoi il avait été question. Souvenirs, Inspiration, Poignant, Chef-d'œuvre, Nostalgie, Modèle, Petites Touches, Rare, Magistral, Jeune Prodige, Captiver, Sensible, Maturité, Tour de Force, Vérité, Révélation, Beau, Incontournable, Irrésistible, Brillant avaient l'air suspendus, par effets spéciaux, autour de la tête des invités. Ainsi le plateau pouvait-il en fin d'émission contempler son propre résumé. Et ainsi la présence des mots venait-elle combler la matière sonore quelque peu squelettique des studios.

Les romancières Jenna Fortuni et Joanna Fortaggi s'adaptaient tant bien que mal à la nouvelle façon de converser. Pour des auteures occupant depuis autant d'années les studios, ce changement était d'importance. Ce n'était pas si facile. Jenna et Joanna avaient dû se plier progressivement à cet usage du mot. D'abord, elles avaient laissé tomber les pronoms, les liaisons et les articles. Elles avaient prononcé des phrases comme : modèle difficile cerner. Ou : Radelpha éditeur bon. Mais les animateurs ironisant leur ayant fait comprendre que ce n'était quand même pas suffisant, Jenna et Joanna s'étaient jetées en avant et avaient comme tout le monde lancé ces noms isolés, ces adjectifs, ces verbes endormis à l'infinitif. Somme toute, ce n'était pas si sorcier et on pouvait même y trouver un amusement.

Une chose curieuse à observer était que, malgré la nouvelle utilisation transparente et directe des mots, une sorte de cocon troublé tendait à se reformer autour d'eux. Ce cocon était empli d'éléments imprévisibles, impossibles à analyser. Contrairement à ce qu'avaient promis les spécialistes, les mots ne semblaient pas si faciles à discipliner. Ils semblaient s'arranger pour se faire accompagner de mille particules immatérielles qui modifiaient leurs vibrations et leur portée. Suivant le lieu, l'ordre ou le moment où ils étaient utilisés, les mots lancés semblaient vouloir toujours signifier quelque chose de plus que leur simple sens. Ils n'étaient jamais entièrement libres.

La convention, par exemple, s'était vite installée de prononcer en ouverture d'émission : Bonheur, Joie, Chaleur, Cordialité ou Sympathie. Ces mots étaient plus ou moins les quatre ou cinq que l'on pouvait se permettre de faire sortir en cette occasion. Ces mots servaient de baromètres. Ils servaient à vérifier que tout le monde était bien disposé et sur la même longueur d'onde. Il n'y avait guère que les people pour essayer de se distinguer, sans que l'on n'y prête trop d'attention, avec des mots affectés comme : Charmé ! Ravissement ! Honneur ! et cætera.

Mais si un écrivain peu au courant, ou posant le pied sur son tout premier plateau de télévision, se mettait en tête de lancer : Béatitude ! Ou bien : Félicité ! au lieu des traditionnels : Bonheur ! Cordialité ! ses paroles jetaient un froid. La méfiance se mettait à sourdre. On se demandait si l'écrivain avait voulu se distinguer, faire le malin ou pire, se moquer de la situation. Cet auteur était alors tacitement mis à part et il ne recevait que parcimonieusement la parole.

Au début, Joanna et Jenna s'étaient bien sûr fait avoir. Tous les invités du circuit, un jour ou l'autre, avaient dû vivre ce genre de mésaventures. Par inexpérience, ils lançaient un mot qu'ils pensaient adéquat, à la suite de quoi tout le monde sur-le-champ se rendait compte que le mot était complètement inapproprié. Il n'était pas facile d'en déterminer la raison. Parfois, c'était simplement le changement d'un filtre sur un projecteur, et lancer : Coquelicot ! alors que la caméra était sur soi et que l'on baignait dans un halo bleu, vert ou jaune, pouvait rendre d'un seul coup la situation incongrue, comme cela était arrivé à Joanna Fortaggi. Parfois, c'était la place du mot qui était mauvaise. Joanna Fortaggi encore, voulant rappeler sa bonne volonté, avait lancé au beau milieu sans réfléchir : Joie ! Hélas, ce n'était plus du tout le moment. C'était le moment où un des auteurs invités faisait part des difficultés qu'il avait eues à se choisir des modèles et des mois nombreux et ardus de composition. L'effet produit par le Joie ! de Joanna avait été détestable.

Il était difficile de rattraper un mot. Il fallait faire attention. L'erreur était trop visible. Un mot de travers ou mal placé se remarquait tout de suite. En une fraction de temps, les mots apparaissaient matérialisés en toutes lettres et se mettaient à onduler dans le décor, derrière, autour, dessus, au-dessus ou par-dessus les invités.

Jenna Fortuni et Joanna Fortaggi étaient admiratives de Larsen Frol, lequel était passé avec une aisance étonnante au nouveau système. Il s'écriait : Joie, Cœur, Soleil, à tout bout de champ. Puis, les minutes d'après, récitait sans à-propos le nom des animaux de la basse-cour. Ce qui faisait rire les enfants et lui avait valu le surnom de Monsieur Jars-Cochon-Dindon-Poule.

À peu près à la même époque, le mari de Jenna lui avouait qu'il avait renoncé aux fameuses banques d'expressions dans son travail d'écriture. Jenna ne posait pas de questions. Le domaine était trop intime. Elle s'était tout de même demandé ce que son mari pouvait bien coucher dans ses livres. Éden Fels l'entretenait régulièrement de ses livres. Mais c'était d'une façon vague. Jenna sentait bien qu'il y avait un bout de temps que son mari ne s'était pas plongé dans leurs pages. Et Jenna elle-même, par pudeur, n'avait jamais passé outre leurs couvertures.

55.

L'animateur était en train de complimenter un jeune homme qui avait fait apparaître son premier livre. Il connaissait un tel succès ! Les acheteurs achetaient son livre du premier coup par paquets de cinq. L'animateur terminait en lâchant le mot fameux et superpuissant : Consécration. Après une infime réfrigération, les épaules de tous les invités se courbaient légèrement vers le sol. L'auteur débutant ne se laissait pas démonter. Il répondait : Surprise. Bonheur. Modestie. Reconnaissance, le tout en conservant une expression à peu près normale.

L'animateur était satisfait. Mais il aurait fallu des détails. Il demandait : Étonnement ? Vérité. Le jeune homme ne se faisait pas prier. Il était encore tout nouveau dans le circuit. Il éprouvait encore du plaisir à se déballer sur les plateaux. Il expliquait avec des détails et une complaisance presque inhabituels en ces époques de haute concision : Bonheur. Divertissement. Léger. Léger. Composer. Raison Vivre. Maison. Campagne. Enfants. Cris. Oiseaux. Inspiration. Ailes. Passion.

À la suite de cette déclaration, l'animateur avait voulu arranger pour la caméra un petit aparté entre deux auteurs. Se tournant vers Joanna, il l'avait invitée à rebondir sur ces derniers mots. Et il avait poussé le jeune auteur à bavarder dans l'intimité avec Joanna. Le jeune homme s'était senti mal à l'aise. Pour dire quelque chose, il avait bredouillé : Plaisir. Chance. Satisfaction. Il avait ensuite récité un quatrain fumeux d'une vieille poétesse-barde, dont personne n'avait saisi la portée. Puis il avait formulé le compliment : Jenna Fortuni. Respect. Honneur, en regardant Joanna dans les yeux.

Joanna Fortaggi avait instantanément été sur le point d'exploser. Elle était connue pour ses embrasements et ses éclats. Et ce n'était pas du tout, comme on aurait pu le croire, parce que le jeune homme l'avait confondue avec une autre écrivaine. Joanna, depuis le temps, avait dû s'y habituer. La confusion de l'identité en soi n'était pas si grave, les questions de ce genre se présentant sans arrêt à chaque contour d'émission. C'était tout à fait excusable. Ce n'était pas pour rien que les noms et fonctions de chacun des invités étaient inlassablement rappelés dans la bouche des animateurs, qu'ils apparaissaient toutes les cinq minutes sur les écrans et qu'ils étaient écrits en caractères aussi gros sur les couvertures. S'il ne s'était agi que de son nom, Joanna aurait pu ignorer la méprise du jeune homme.

Non, ce qui la mettait hors d'elle était avant tout le fait que le jeune garçon ait profité de sa présence pour déclamer un quatrain d'une obscure poétesse-barde qui avait sévi, pour autant que Joeanna Fortunaggi aient pu le comprendre, dans un des siècles précédents. Cela n'était pas admissible. Joanna Fortaggi était stricte. Elle ne tolérait pas et n'aurait jamais toléré que l'on se permette de faire sur son dos la moindre tentative d'érudition. Elle y était à cent pour cent allergique. Oui, on pouvait comparer Joanna Fortaggi à des auteurs présents. Oui, on pouvait aller jusqu'à la confondre avec une auteure existante. Oui, on avait le droit de faire des comparaisons entre son œuvre, sa personne et quelques artistes-étalons. Ces comparaisons étaient acceptables. Ce qui ne l'était pas en revanche était que l'on se permette de s'appuyer sur le dos de Joanna pour fuir lâchement dans le passé, farfouiller dans ce cloaque et propager des stupidités dépourvues d'authenticité.

Le bouillonnement de Joanna n'était pas détectable en surface. Mais au moment où l'animateur souriant se tournait dans sa direction pour lui demander si elle se reconnaissait dans ce compliment, l'explosion avait lieu. Joanna dressée sur son siège lançait : Tonnerre ! Inadmissible ! Mépris ! Respect ! Malpoli ! qui tombaient comme des pierres devant les caméras. Elle ajoutait encore : Crapoteux ! sans que le mot soit vraiment compris, et un silence épais se faisait sur le plateau.

Les mots utilisés par Joanna se présentaient immédiatement. Il n'était humainement pas possible de les retenir. Ils étaient formés par une machine qui n'avait pas de scrupules ni de réflexion. Aussitôt des mots prononcés, la machine les transcrivait pour le décor. Elle les projetait sur un écran à partir duquel les effets spéciaux, produisant leur magie, les transposaient magnifiquement et avec fantaisie sur le plateau. Ce n'était qu'après le générique, la machine s'éteignant, que ces mots disparaissaient. Ils tombaient simplement en désuétude. Une sorte de blanc absolu était rendu aux plateaux.

Les mots de Joanna ondulaient avec les mots prononcés plus tôt. Ils faisaient des couronnes ou des bavettes sur les invités. Ils passaient sur le visage de l'animateur. C'était devenu un must de leur faire couvrir les visages : les invités étaient laissés un petit peu dans l'obscurité et les lettres passaient sur leurs fronts.

Les mots brillaient sur leurs bustes. Virtuose et Prometteur brillaient sur la poitrine de Joanna. Ils voguaient plus loin, et sa poitrine était ensuite barrée par Oubli et Mépris. Jenna était au-dessous de Premier Roman, qui avait été émis plus tôt dans l'émission. Les joues de l'animateur étaient barrées par le mot Crapoteux qui semblait s'attarder sur lui. C'était embarrassant et fâcheux parce que personne ne semblait plus en mesure de savoir ce qu'il signifiait. De ce fait Crapoteux prenait un air un tout petit peu obscène.

Les invités se souriaient avec embarras. Ils ne savaient pas comment réagir. Ils n'étaient pas sûrs d'avoir le droit de remarquer ces mots discordants. L'animateur souriant était en transpiration. Les mots fâcheux se répandaient sur ses invités et il ne savait plus comment rattraper son plateau. Par bonheur, il avait l'esprit de logique de réciter très vite une longue et jolie suite de mots, afin de supplanter les mots vilains de Joanna. Les invités, comprenant ce que l'animateur voulait faire, lançaient en même temps que lui leurs propres suites de mots. La machine à projeter les mots était surmenée. Elle s'arrêtait des fractions de temps. Personne n'avait songé à la programmer dans l'autre sens, pour aspirer les mots et nettoyer les plateaux avant la fin des émissions. Les mots de Joanna se noyaient peu à peu dans la masse des mots agréables. Sous Exceptionnel, Tour de Force, Révélation, Talent, Jeune, Toucher, Grâce, Lyrique, Jubilation, Universel, ils devenaient lentement moins visibles. Des yeux acérés cependant auraient pu repérer Tonnerre et Crétin en train de voguer et onduler, par-ci par-là, sur l'écran.

56.

Le jour fixé pour le parrainage longue-distance était revenu. Les Toulolkblblibsi se montraient à nouveau sur l'écran. Les enfants de Joanna trouvaient sensationnel que ces pauvres gens soient instruits, au contraire de Joanna qui déplorait que tant d'énergie soit perdue. Ces pauvres gens auraient eu besoin de travailler et sarcler la terre pour se remplir l'estomac, au lieu de se préoccuper de leurs cerveaux. Mais ils croyaient qu'il était préférable de s'affamer et crever de faim, pour que leurs petits garçons se polluent la tête.

Les Toulolkblblibsi possédaient des téléphones et des écrans canoniques, sur lesquels les enfants mâles exécutaient leurs études. Ces enfants-là étaient peignés. Ils portaient des chemises impeccables, enfoncées dans des pantalons qui avaient un long pli, et aucune tache. De l'autre côté leurs petites sœurs se tortillaient dans des hardes. La mère Toulolkblblibsi chassant les poules expliquait : au jour d'aujourd'hui il fallait de solides études. Elle faisait visiter les lieux.

La cour des Toulolkblblibsi donnait sur deux pièces. Il n'y avait pas de fenêtre. Tous les meubles étaient des lits. Le mur de torchis était creusé d'une petite niche arrondie où reposaient cinq livres. Joanna observait que ces livres étaient salis et que leurs couvertures avaient l'air d'avoir vécu beaucoup. Les dos de tous les livres sans exception étaient usés. Il ne faisait pas de doute pour Joanna qu'ils avaient été entrouverts, et pas seulement une fois. Et il était hors de question d'imaginer que ces livres aient été composés par Monsieur ou Madame Toulolkblblibsi. Les sentiments de Joanna devant ces livres étaient mélangés : elle se sentait heurtée, dégoûtée, apitoyée, bousculée.

Le mari de Joanna observait une prise électrique plaquée sur le mur. Il se demandait d'où pouvait provenir le courant. Ce long mur était beige et nu. Il était de terre et de paille. Sa surface était pleine de bosses. Cette prise semblait collée sur lui. Le mari de Joanna était sur le point de poser la question : cette prise était-elle un trompe-l'œil ? À ce moment, le père Toulolkblblibsi s'interposait. Laissant ses enfants à l'arrière, il expliquait qu'il travaillait comme ingénieur aéronautique. Les deux fils aînés de Joanna poussaient un cri. Ils hurlaient qu'ils ne voleraient jamais en avion. Il fallait vite les faire taire, tandis que le père Toulolkblblibsi questionnait le traducteur automatique.

Enfin, le signal de la séparation étant apparu, les deux familles se saluaient, et les fillettes poussées devant chantaient leur mélodie rauque.

57.

Au troisième rendez-vous fixé pour le parrainage longue-distance, les parents Toulolkblblibsi demandaient à pouvoir visiter les chambres des Fortaggi. Il y avait longtemps qu'ils désiraient les voir. Ils le disaient en se dandinant et Joanna comprenait qu'ils avaient espéré ne pas avoir à le demander.

Les visites des habitations étaient inscrites dans les parrainages. Joanna Fortaggi et son mari ne pouvaient pas dire non. Cette visite leur était pénible, dans la mesure où leur appartement était beaucoup plus vaste que les deux pièces avec cour des Toulolkblblibsi. Leur salon était gigantesque. Joanna et son mari avaient l'impression de porter un coup aux Toulolkblblibsi ou de charger leurs épaules d'un gros poids. Et rien ne pouvait être soustrait ou escamoté. Les murs, les sols et les fenêtres étaient indémontables.

Joanna commençait par leur faire visiter la cuisine. Elle ouvrait le four et des placards. Du côté des Toulolkblblibsi, la visite de l'appartement de Joanna se déroulait dans un silence recueilli. Leurs nombreuses têtes s'agglutinaient devant leur écran. Joanna promenait le sien à travers les pièces, tandis que ses enfants gambadaient devant elle. Elle présentait sommairement chaque chambre, en omettant volontairement celle de son dernier-né, qui était remplie de peluches. Les Toulolkblblibsi ne remarquaient rien. Ils semblaient pourtant concentrés. Ils ne posaient aucune question. Leurs visages demeuraient inexpressifs. Ils ne s'intéressaient ni aux meubles ni aux tapis. Joanna se demandait si les Toulolkblblibsi comprenaient ce qu'ils avaient dans la vue. C'était peut-être pour ces gens comme se promener sur la Lune.

Une seule fois, les Toulolkblblibsi demandaient à revenir en arrière. C'était pour la salle de bains. Les Toulolkblblibsi riaient de s'apercevoir tous agglutinés dans le miroir. Une des ancêtres se cachait même le visage dans les mains. Le miroir ne montrait plus que ses deux dents brunes. Mais à part la salle de bains, l'appartement des Fortaggi ne semblait soulever chez eux aucun commentaire. Joanna pour terminer les faisait revenir au salon. En tournant sur elle-même, elle effectuait un grand cercle avec son écran. Tout à coup, un élément semblait redonner vie aux visages des Toulolkblblibsi. Cet élément se trouvait dans la région de la bibliothèque. L'écran de Joanna Fortaggi avait passé devant elle, rapidement. À présent, comme pour la salle de bains, les Toulolkblblibsi demandaient que Joanna y fasse un deuxième passage. Plus lentement, si c'était possible.

Joanna Fortaggi ne s'attendait pas à ça. Elle obéissait à contre cœur. Elle tendait son écran en direction de la bibliothèque, de manière à ce qu'il embrasse ce meuble en entier. Les yeux des Toulolkblblibsi parcouraient les rayons et les dos multicolores des livres. Le bouquet de leurs visages frémissait sous l'agitation. Quelques mots et phrases circulaient. Puis, après un nouveau silence gêné et bref, le père Toulolkblblibsi demandait à Joanna des explications. Joanna ne savait que dire. Elle répondait qu'il s'agissait de sa bibliothèque. Toujours en raison des défaillances de la traduction, elle n'était pas certaine que les Toulolkblblibsi aient pu tout saisir. Elle répétait plusieurs fois : bibliothèque, livres, écrivaine, allant jusqu'à ouvrir la vitrine et prendre un des exemplaires dans ses mains.

Le livre que Joanna avait saisi était petit et compact. Il ne s'agissait pas d'une version originale, mais d'une de ces traductions bariolées que Joanna recevait du monde entier. Un ballon à air chaud rouge et bleu était sur la couverture. Une petite souris était debout à l'intérieur de la nacelle. On voyait sur le bord du panier son museau rose et ses moustaches. Joanna avait pris ce livre complètement au hasard. Elle avait pensé que ce serait toujours assez bien pour des Toulolkblblibsi. Elle en présentait la couverture devant l'écran.

Il se produisait un autre mouvement sur les visages des Toulolkblblibsi. Leur cercle se défaisait et se reformait autrement. Le père Toulolkblblibsi, qui avait brièvement disparu, réapparaissait le nez chaussé de petites lunettes. Son visage avait passé au premier plan, entouré de ceux de ses enfants mâles. Les deux ancêtres et les fillettes étaient reconnaissables à l'arrière-plan, par petits bouts. Quant à la mère Toulolkblblibsi, elle devait être en train de préparer la semoule, piler le riz, trier les pierres, peigner les ânes ou traire les cochons. Elle n'apparaissait plus dans le champ. Au moment même où Joanna se demandait entre ses dents, pour ne pas être entendue, ce que diable il arrivait à ces gens, le père Toulolkblblibsi prenait la parole. Il demandait à Joanna d'ouvrir le livre.

Joanna était mal à l'aise. Mais, le livre étant rempli de signes incompréhensibles, le geste paraissait plus bénin et, dans une certaine mesure, envisageable. Avec une sorte de gêne à cause de ses enfants qui étaient tous les trois présents, et avec une appréhension, Joanna ouvrait donc le livre.

Les pages s'écartaient à n'importe quel endroit, quelque part pas loin du milieu. Joanna trouvait déplaisant d'avoir à toucher du regard le livre. Elle ne pouvait pas faire autrement. Elle ne pouvait tout de même pas fermer les yeux. Même sans le vouloir, elle voyait un petit peu dedans. Joanna se rendait compte que, depuis le temps, elle avait presque oublié à quoi pouvait ressembler l'intérieur d'un livre.

Le livre ouvert présentait deux pages. La moitié supérieure de la page de gauche était toute blanche. Il y avait un nombre à deux chiffres au milieu du blanc. Le reste de la page était couvert de signes alignés. Joanna n'en pouvait lire aucune lettre. Elle ne connaissait pas cette écriture. Elle essayait d'écarter ses enfants et de les tenir éloignés du livre. Mais ils revenaient y coller leurs têtes. Ses garçons lui disaient qu'ils avaient de toute manière déjà joué au moins trente-six fois aux écrivains avec ce livre. Par bonheur, eux non plus ne pouvaient rien y lire.

Les yeux des hommes Toulolkblblibsi entraient sans ciller dans le livre. Leurs visages de nouveau étaient concentrés. De temps à autre, leurs yeux quittaient les deux pages pour se poser sur Joanna. Ces regards étaient embarrassants. Il ne s'agissait pas du tout de regards absents. Ils étaient pleins d'expressions, que Joanna ne pouvait pas déchiffrer.

Au bout d'un très court instant, trois des jeunes garçons Toulolkblblibsi se mettaient à rire. Quant au père Toulolkblblibsi, il conservait son sérieux. La perplexité s'étendait sur son visage, des deux yeux aux joues, à la bouche. Son menton pendait un petit peu. Il faisait signe à Joanna de tourner une page. Joanna obéissait avec réticence.

Enfin, le père Toulolkblblibsi articulait des mots. À l'intonation de sa voix, Joanna supposait que c'était une question. Les traducteurs automatiques étaient formels: la question en substance disait: Celle-là contenu coïncider? Fabricateur avait quel?

Joanna s'efforçait de faire comprendre aux Toulolkblblibsi qu'elle-même était l'auteure de ces deux pages. Elle répétait plusieurs fois: auteure, livre, en se frappant la poitrine. Les visages des Toulolkblblibsi avaient retrouvé leur expression calme. Il était impossible de savoir ce qu'ils pouvaient comprendre. Joanna répétait encore deux fois: auteure, livre, et un silence profond s'installait de part et d'autre des écrans.

Du côté de Joanna, les garçons jouaient tranquillement sur le tapis. Le fils aîné s'amusait à allumer et éteindre les luminaires avec la puce implantée sous sa peau. Du côté des Toulolkblblibsi retentissaient des moteurs et deux coups de klaxons. Joanna percevait une nouvelle fois le drôle de filet de voix étranglée, quelque part sur le côté de leur écran. Des cris et des rires d'enfants se faisaient aussi entendre, puis le silence retombait. Le père restait silencieux, comme s'il ne trouvait rien à dire. Il ne quittait pas pour autant sa place devant l'écran.

Au bout d'un petit moment, le père Toulolkblblibsi ordonnait quelque chose, avec le ton sans réplique que Joanna lui connaissait avec ses enfants. Deux garçons s'en allaient ventre à terre. Ils revenaient en portant deux livres. C'étaient les livres aux pages usées et cornées que Joanna avait aperçus dans la petite niche, dans une des pièces de l'habitation. Sans un regard pour ses garçons, le père Toulolkblblibsi saisissait un des livres.

D'une main sûre et nette, il l'ouvrait à une page précise. Joanna avait un haut-le-cœur de constater que le père avait l'air de savoir parfaitement ce qu'il voulait faire. Et, par moments sans regarder la page, par moments les yeux posés sur les yeux de Joanna, le père Toulolkblblibsi se mettait à lire à haute voix.

Cette lecture était mi-lecture, mi-récitation. Les enfants, les yeux levés, étaient suspendus à ses lèvres. À un moment, ils se mettaient peu à peu à s'agiter et se préparaient visiblement à éclater de rire et Joanna, avec un haut-le-cœur encore plus grand, comprenait que les enfants savaient ce que leur père allait lire. Comme s'ils avaient déjà entendu des dizaines ou des centaines de fois cette lecture. Un sentiment de gâchis et un abattement très profond lui envahissaient la poitrine.

Les yeux du père Toulolkblblibsi se levaient fréquemment et venaient se poser dans les prunelles de Joanna, alors même qu'il était en train de lire et de proférer des mots qui étaient écrits. Joanna se sentait salie. Elle avait l'impression que le père Toulolkblblibsi voulait la faire entrer dans ce livre. Les mots étaient déplacés de ses yeux et de sa bouche jusque dans la tête de Joanna. Elle ne savait plus comment se tenir. Heureusement, elle ne comprenait pas ces mots. Le traducteur était dépassé. Mais le signal de la séparation retentissait. Le père Toulolkblblibsi, s'interrompant, consultait une montre à son poignet, que Joanna remarquait pour la première fois, et ils se disaient au revoir. Les fillettes sans entrain chantaient.

Joanna se retrouvait seule avec ses enfants. Les garçons voulaient encore jouer avec le livre, mais Joanna le remettait n'importe où dans la vitrine. Elle tournait la clé. Elle se sentait à bout de nerfs. Ces parrainages demandaient beaucoup trop d'énergie. Et son mari n'était d'aucune aide. Il était pris de quintes de toux chaque fois que les Toulolkblblibsi apparaissaient sur l'écran. C'était une sorte d'allergie. Il devait expectorer sur le balcon, où le grand air semblait lui faire le plus grand bien.

58.

Le parrainage était sur le point de se terminer. Joanna Fortaggi devant son écran attendait pour la dernière fois la famille Toulolkblblibsi. Du côté des Fortaggi, on ne pouvait pas dire que ce parrainage-là avait été un succès. Devant le nombre des enfants Toulolkblblibsi et la difficulté qu'il y avait à faire une différence entre toutes ces têtes, les fils aînés de Joanna s'étaient désintéressés. Ils avaient préféré jouer entre eux aux animateurs ou aux cameramen, ou bien apprendre par cœur de nouveaux mots. Le petit dernier de Joanna, c'était vrai, avait bien aimé ce parrainage. Il voulait toujours s'installer devant l'écran. Mais c'était parce qu'on pouvait y apercevoir une poule ou une autre. Joanna se retrouvait toujours quasiment seule face à la famille Toulolkblblibsi. D'une certaine façon, c'était mieux. Il n'y avait personne pour rire d'elle quand elle recevait des phrases sans queue ni tête ou quand de son côté ses propos étaient déformés. Il n'y avait personne pour ricaner en sourdine quand la mère Toulolkblblibsi demandait, le plus sérieusement du monde, comment Joanna s'en sortait avec les insectes, ou si le petit avait faim parce qu'il avait l'air pâle et maigre.

Enfin, pour la dernière fois dans l'existence de

Joanna Fortaggi, les Toulolkblblibsi apparaissaient sur son écran. Ils semblaient graves et mieux habillés. Joanna comprenait plus ou moins qu'ils regrettaient la fin de ce parrainage. Ils auraient bien aimé le prolonger. Ils s'étaient attachés à Joanna. Elle était devenue un membre de leur famille. En signe de profonde amitié, avant la séparation, les Toulolkblblibsi voulaient faire un présent à Joanna Fortaggi. Le traducteur traduisait: Vous avez rencontré, je suis vraiment heureux, vous souhaiter joyeux chaque jour. Joanna en avait par-dessus la tête de ce parler-là.

Le père Toulolkblblibsi s'avançait et tous s'écartaient pour le laisser venir au centre. La mère Toulolkblblibsi se tenait modestement à ses côtés. Le moment était d'importance. Le père Toulolkblblibsi disait quelques mots. Il tendait les mains vers l'écran. Joanna comprenait qu'il était en train de la prendre par la main, ou peut-être était-ce par les épaules. La mère Toulolkblblibsi souriait timidement.

Joanna ne savait pas ce qu'elle était censée faire. À tout hasard, elle tendait aussi les mains en avant. Elle supposait qu'elle était en train de prendre le père Toulolkblblibsi par la main. Le père souriait chaleureusement et il présentait sa femme à Joanna. Joanna tendait de nouveau la main en avant et la mère Toulolkblblibsi et Joanna se serraient la main, ou peut-être étaient-ce finalement les épaules. Joanna sentait une chaleur monter le long de ses bras. Le geste se répétait avec chacun des enfants. Joanna n'aurait jamais cru qu'il y en avait autant. Elle se rendait compte qu'elle n'avait pas réussi à enregistrer leurs visages. Il y en avait qu'il lui semblait voir pour la première fois. Joanna serrait encore quelque chose aux deux ancêtres, puis le père Toulolkblblibsi revenait devant l'écran. Il baragouinait quelques phrases incompréhensibles, au milieu desquelles le nom Fortaggi émergeait à plusieurs reprises. Enfin, le père Toulolkblblibsi posait une main sur le ventre de sa femme. Ce ventre était arrondi. Le prochain enfant était à naître. Joanna n'avait pas remarqué que la mère Toulolkblblibsi était enceinte. Son corps et ses habits étaient imprécis. Mais elle n'avait pas le temps d'y réfléchir. Le père Toulolkblblibsi lui faisait comprendre que l'enfant porterait le prénom Fortaggi. Il guettait sa réaction sur son visage. Joanna, touchée, remerciait chaleureusement. Elle prononçait des félicitations. Les têtes des enfants Toulolkblblibsi venaient se presser devant l'écran pour voir si Joanna était contente. Ils jetaient toujours des coups d'œil de biais, du côté où Joanna lors des séances précédentes avait cru percevoir un filet étouffé de voix. Au moment où Joanna se décidait à demander ce qu'était cette voix, l'écran des Toulolkblblibsi était pivoté d'un quart de cercle dans cette direction. Une banquette portant deux ou trois étoffes laineuses effrangées apparaissait dans le champ de vision. Cette banquette était contre le mur beige de la cour. La lumière était vive, de sorte que Joanna voyait tout nettement. Elle distinguait bien la banquette où étaient posés des chiffons, mêlés peut-être à des branches ou du bois durci au feu.

Alors que Joanna se questionnait sur cette vision, un des chiffons se mettait à remuer, avec des mouvements de petite bête. Les étoffes à présent ondulaient. Joanna l'avait compris : les chiffons et les bois étaient vivants. Une sorte de corps était déposé sur la banquette. Sa disposition n'était pas logique. L'amas qui devait être la tête était tourné vers l'écran. Joanna venait seulement de le remarquer. Elle n'osait pas bouger. Deux grands trous noirs uniformes étaient tournés vers elle. Ils observaient Joanna depuis longtemps. Ils l'aspiraient avidement. Joanna ne savait pas si elle devait sourire. Son cœur était pétrifié. Une des extrémités des bois s'élevait faiblement au-dessus des étoffes. Les lambeaux effrangés étaient des cheveux. Les parties que Joanna voyait étaient d'un brun brûlé, décharné, comme la mort. Elle s'inclinait. De l'amas bruni sortait un vagissement inconvenant et étranglé. L'écran revenait précipitamment dans son premier axe. Joanna retrouvait les visages massés, curieux, rieurs et incertains des enfants.

Sans lui laisser le temps de se reprendre, le père Toulolkblblibsi tendait à Joanna une assiette de victuailles et un verre de liquide. Joanna devait manger et boire. Elle le faisait généreusement et tendait à la famille Toulolkblblibsi une corbeille de fruits qui se trouvait être à portée de sa main près de son écran. La corbeille ne contenait qu'une pomme et un kiwi. C'était insuffisant pour nourrir une famille. Cependant, la magie de la longue-distance opérant, tous se régalaient de bon appétit. Les ancêtres se frottaient le ventre.

Joanna leur tendait encore une carafe à eau presque vide, qui semblait leur faire grand plaisir. Un coup d'œil à l'heure lui indiquait que la séparation était proche. Les Toulolkblblibsi lui proposaient une danse. Joanna dansait avec toutes les filles. Le père Toulolkblblibsi disait qu'il n'oublierait jamais Joanna Fortaggi et que les Fortaggi étaient pour toujours dans les cœurs des Toulolkblblibsi. Tous les Toulolkblblibsi tenaient leurs mains jointes au niveau de la poitrine. Joanna joignait ses deux mains. La timide chaleur se répandait dans son corps. Le père Toulolkblblibsi élevait ses mains jointes à son front et toute sa famille l'imitait. Joanna s'inclinait aussi.

Il ne restait que quelques secondes. Joanna Fortaggi n'en était pas sûre, mais elle avait l'impression que des enfants, les ancêtres et la maman Toulolkblblibsi essuyaient sous leurs yeux, comme de l'eau. La dernière seconde s'écoulait et les Toulolkblblibsi s'effaçaient de son écran. Joanna gardait en dernier souvenir l'image de la forêt de leurs bras s'agitant les uns contre les autres et l'empreinte de leurs cris mélancoliques, rauques et joyeux.

59.

Chez Jenna Fortuni cette année-là le parrainage obligatoire avait avorté. Jenna et son mari étaient tombés sur des gens qui n'avaient aucune envie d'être parrainés. Après une première séance éprouvante durant laquelle Jenna et son mari avaient dû admirer sous toutes ses coutures une collection de cure-dents et où Jenna avait dû faire visiter son appartement, les deux parties s'étaient mises d'accord pour signer le formulaire à l'avance et faire croire que les minutes de parrainage avaient été effectuées.

Jenna était soulagée. Elle n'était pas sociable. Et le mari de Jenna aussi était un ermite. Il n'avait aucune attirance pour le small talk. Il déplorait tout de même le manque d'ouverture de ces gens. C'était dommage. Ces personnes certes étaient rebutantes, mais peut-être cachaient-elles sous la surface des aspects qu'elles auraient peut-être eu plaisir à communiquer.

Jenna était certaine que non. Il lui avait suffi de voir la mince femme et son mari tout aussi sec et mince, leurs lèvres minces et pincées, et de devoir répondre à leurs questions étouffées sur la couleur crème de l'appartement. Jenna en était persuadée : ces gens étaient des épingles. Il valait mieux se tenir à l'écart. Même leur enfant, quand il était rentré de l'école, s'était assis de façon pointue sur la chaise de la cuisine. Il n'avait pas osé remuer. Son père lui avait coupé une tartine effilée. La confiture était au citron.

Ce genre de relations donnait la nausée à Jenna, une sorte d'effondrement dans la gorge, exactement le même sentiment qu'elle pouvait parfois éprouver en présence des amis choisis sur des catalogues. Ces amis de catalogue, on les connaissait forcément peu. On ne les fréquentait qu'une seule fois. Et il en allait toujours ainsi avec eux : ils étaient toujours souriants, mais pour ce qui était de la profondeur ou des sentiments, il fallait le chercher ailleurs. C'était le seul côté un peu décevant avec ces amis. Pour le reste, ils étaient courtois et gentils. Ils étaient volontiers présents et avaient parfois de l'humour. Ils venaient toujours avec leurs écrans.

Jenna Fortuni et son mari s'en choisissaient souvent quelques-uns lorsqu'ils faisaient un barbecue sur le balcon, pour avoir de la compagnie. Même si l'on ne parlait pas beaucoup et si tout passait peu ou prou à travers les écrans, ces amis-là mettaient de l'ambiance. La conversation roulait sur la comparaison de leurs patronymes. En fin de soirée, les amis généralement finissaient par se montrer leurs boîtes roses. Jenna et son mari choisissaient ce moment-là pour s'éclipser dans la cuisine. Ils allaient laver la salade. Ils élaboraient le dessert. Quand les amis insistaient pour voir leurs boîtes roses, Jenna et son mari commençaient par répondre qu'ils n'en avaient pas, chose qui était difficilement crue et qui faisait plutôt monter les enchères. Finalement, il était de loin préférable de dire qu'ils avaient égaré leurs clés ou bien que leurs boîtes roses, pour révision, étaient momentanément hors service.

Les précautions et les manières entourant l'ouverture

des boîtes roses avaient souvent titillé la curiosité de Jenna. Leurs contenus semblait précieux. Mais à chaque fois que son regard était entré dans l'une de ces boîtes, elle n'y avait aperçu que quelques babioles et bouts de ficelles qui traînaient au fond. Les boîtes roses décidément n'avaient jamais tenu leurs promesses.

Ces soirées sur le balcon étaient agréables, mais Jenna se disait toujours qu'il ne faudrait pas se trouver en compagnie des amis de catalogue, en cas de tremblement de terre. Il était sûr et certain que tous ces amis s'enfuiraient en criant et que Jenna resterait coincée sous les gravats avec son mari. Ou bien il ne faudrait pas compter sur eux si Jenna s'ébouillantait la main avec la cafetière. Ce n'était pas eux qui viendraient lui faire un pansement. C'était ainsi. On savait à quoi s'en tenir, et c'était en connaissance de cause que l'on choisissait d'inviter Cocolanoix, Roxi18, Hellolavie, Gratin des Chats ou Grand Frère Tranquille.

L'oiseau de Jenna adorait ce genre d'amis. Jenna n'avait aucune idée de comment il s'y prenait pour les reconnaître. À chaque entrée d'un ami de catalogue, l'oiseau se démenait dans sa cage comme un fou. Des graines et des plumes étaient projetées jusqu'au gril. Il criait des noms de précédents invités de catalogue, n'étant bien sûr jamais revenus. Raison pour laquelle Jenna, avant que ces amis arrivent, jetait un tissu noir sur la cage.

60.

Depuis l'épisode de la bibliothèque et du livre qu'elle avait dû ouvrir de ses propres mains et de celui que le père Toulolkblblibsi avait lu pour elle, Joanna Fortaggi ne pouvait plus dire qu'elle se sentait vraiment tranquille en présence de ses livres. Ce bête et simple assemblage de papier, colle et carton avait produit sur elle un effet bizarre au moment où elle l'avait entrouvert. Joanna ressentait depuis lors une espèce de gêne. Oh, ce n'était vraiment pas grand-chose. Joanna pouvait continuer à prendre son septième livre dans ses mains et à se rendre en sa compagnie dans les studios. Elle pouvait toujours s'asseoir sur les canapés à côté de lui et laisser de temps en temps son regard errer sur les tables basses, sur le visage de sa couverture. Ces gestes-là n'étaient pas dérangeants.

Ce qui était dérangeant, c'était cette petite lucarne de curiosité qui s'était ouverte dans son regard. Elle ne s'était pas refermée. Joanna dorénavant ne pouvait plus poser les yeux sur une couverture sans se mettre à penser qu'il y avait quelque chose dedans. Son regard, sur les livres, remarquait la tranche, chose qui auparavant lui avait complètement échappé. Maintenant Joanna voyait que tous les livres présentaient des tranches d'une certaine épaisseur. Cette épaisseur était variable. L'esprit de Joanna était tourmenté. Pourquoi les tranches étaient-elles variables, si les livres n'étaient que des livres ? À quoi servait-il que les éditeurs choisissent telle ou telle épaisseur de tranche, si les livres n'étaient pas ouverts ? Et, allant plus loin : existait-il des gens pour qui l'épaisseur et par conséquent l'intérieur des livres étaient importants ? L'idée pouvait sembler complètement folle, mais c'était ainsi que Joanna Fortaggi regardait désormais ces objets.

Jusqu'alors, comme tout le monde, elle avait considéré qu'un livre était une surface sur laquelle on pouvait longuement disserter. Sur la surface d'un livre, on pouvait se promener, la chose était naturelle. On pouvait s'y promener avec sa famille. On pouvait s'y promener avec ses voisins, on pouvait s'y promener avec de parfaits inconnus. Ces promenades étaient innocentes. L'intérieur d'un livre, par contre, était impraticable. C'était un endroit hasardeux et dissimulé. C'était un endroit délicat, où personne ne se rendait et où les gens qui y étaient tout de même forcés allaient dans le plus grand secret. On entrait toujours seul dans un livre. Joanna Fortaggi était allée dans presque tous ses livres. Bien sûr, puisque c'était elle qui les avait faits. Et, Joanna commençait en cet instant à le comprendre, c'était d'ailleurs sans doute pour cela qu'on attribuait aux écrivains ce petit côté de mystère et cette aura : les écrivains étaient des gens qui allaient là où les gens ordinaires et sensés n'allaient pas. Joanna s'arrangeait cependant pour tout oublier de ses excursions. Et elle avait été reconnaissante à son éditeur d'avoir su prendre les choses en main et d'avoir fabriqué pour elle ses sixième et septième livres.

C'était aussi pour cela que Joanna Fortaggi n'était pas mécontente que Jenna Fortuni ait fabriqué son quatrième livre avec son septième livre. Quelle qu'ait été la manière dont Jenna Fortuni s'y était prise et quels qu'aient été ses arrangements avec Radelpha, Jenna Fortuni accompagnait pour ainsi dire Joanna de l'intérieur de leur livre. C'était un grand avantage. Ainsi Jenna et Joanna étaient-elles devenues deux pour s'épauler devant le livre. Ainsi, dans l'éventualité qu'elles aient dû un jour y entrer, chose qui était rarissime, qui ne se présentait pour ainsi dire au grand jamais, elles auraient pu se donner le bras et traverser en se soutenant les voûtes inconnues, obscures et touffues du livre. Aucune de ces réflexions n'échappait à Jenna Fortuni : aux moments où Joeanna Fortunaggi étaient sur les plateaux, elle sentait bien que le regard de Joanna se posait sur leur livre d'une autre façon. Non plus indifférent et insensible, mais avec une hauteur nouvelle et pleine de pressentiments. Elle-même n'avait encore jamais pensé de cette manière à un livre. Tout le monde savait bien ce qu'était un livre, même si personne n'avait réussi à en trouver la définition. Il n'y avait pas lieu de s'en méfier ou d'en concevoir de l'effroi. Le seul problème que pouvait à la rigueur poser un livre était de se voir entrouvert. Le geste étant tombé dans l'oubli, un livre était à présent un objet aussi anodin qu'une chaussure par exemple, ne contenant rien et dont on pouvait voir à l'intérieur la semelle, ou qu'un vase de terre cuite ou un pot. Non Jenna Fortuni n'avait pas peur des livres. Elle craignait davantage la position nouvelle de Joanna : tantôt se perdant dans la contemplation de leur livre. Tantôt forgeant sur les livres, les couvertures et leurs contenus des pensées délirantes, dignes des pires époques des obscurantismes.

61.

Dans ce contexte, Jenna Fortuni recevait un après-midi sur son écran un message de Joanna Fortaggi. Ce n'était pas une surprise, Jenna l'avait senti arriver, à toutes les pensées qui l'avaient agitée depuis le matin. Le message était bref et sans chichis. Il lui donnait rendez-vous chez elle le lendemain matin à dix heures.

Le lendemain Jenna Fortuni mettait donc le pied pour la première fois chez Joanna Fortaggi. Les enfants de Joanna étant à l'école, les deux écrivaines avaient tout leur temps. Jenna s'asseyait et examinait les dimensions impressionnantes du salon. Joanna prenait place en face d'elle. Elle étendait ses bras sur la table et croisait les mains. Elle se tenait un peu penchée en avant. Elle n'avait pas proposé à Jenna de café ou de rafraîchissements, comme si celle-ci avait été une vieille connaissance.

Jenna devinait ce que Joanna allait dire et comment elle allait parler. Elle en sentait déjà la matière remuer à l'intérieur d'elle. Elle percevait une lumière, la lumière des mots que Joanna était sur le point de prononcer. Cette lumière était douce, jaune, vive. Jenna regardait les mots s'approcher.

Jenna..., commençait Joanna Fortaggi, et Jenna

considérait pour la première fois la texture de sa voix, qui était grave et mordorée. Elle remarquait aussi que les yeux de Joanna lui parlant se déposaient avec douceur et velouté tantôt dans ses propres yeux, tantôt sur le tapis gigantesque et coloré du salon. Les yeux de Joanna étaient splendides. Ils étaient chauds et éloquents. Joanna continuait à parler. Elle parlait de livres. Le livre bien sûr qu'elles possédaient en commun. Mais elle parlait aussi d'autres livres, de ceux qu'elles avaient faits séparément et de ceux qui avaient pu être composés par leurs amis, mari, collègues ou par des écrivains inconnus. Les mots qu'elle disait naissaient en même temps dans les oreilles et l'intérieur de la poitrine de Jenna. Ils existaient en elle depuis longtemps. Joanna les prononçant les illuminait.

Joanna arrivait à présent à la conclusion que Jenna voyait depuis quelques minutes apparaître et grandir : au point où elle en était, elle avouait qu'il ne lui était plus possible de vivre ainsi les yeux fermés. Elle avait une difficulté avec les livres, qui était facile à formuler : Joanna ne pouvait plus se contenter de les côtoyer. Elle avait besoin d'y entrer. Elle voulait pouvoir prendre un livre dans ses mains et, advienne ce qui devait advenir, le fendre franchement en deux.

Jenna Fortuni était ébranlée, en même temps qu'elle reconnaissait tous ces mots. Elle était plus calme et mesurée que Joanna, et en ce sens elle voyait plus clairement les difficultés. Elle faisait remarquer qu'ouvrir des livres n'était pas si facile. Certes, le geste était simple à imaginer, mais l'accomplir, c'était une autre paire de manches. On avait vu des mains décidées renoncer à fleur de pages sur le bord d'une couverture. Jenna avait souvent vu des bras crâneurs s'écarter tout à coup des livres comme des moineaux effrayés. Beaucoup de gens pouvaient rêver d'ouvrir des livres. Mais quand il s'agissait de le faire, il ne se trouvait tout à coup plus personne.

Il y avait encore autre chose: ouvrir des livres était déclaré obsolète. Certes, les petits enfants avaient le droit de farfouiller dans des livres. Ils les déchiraient à loisir et leur faim de papier était assouvie. On n'agissait pas autrement avec les chats. Mais à l'âge adulte, il devenait épineux de passer outre les convenances. Jenna arrivait là où elle voulait en venir: Joanna et Jenna ne seraient-elles pas regardées comme des pestiférées dès le moment où l'on saurait qu'elles se rendaient dans des livres?

Jenna n'avait pas fini. Elle rappelait encore à Joanna les nombreux dangers: le geste d'ouvrir un livre était impudique. Il pouvait se révéler très embarrassant. Les conséquences ne pouvaient pas être mesurées à l'avance. Et, une fois que serait vu ce qui était à voir, Joanna et Jenna seraient forcées de prendre position. Et est-ce qu'elles en seraient capables? Et est-ce qu'elles seraient assez fines, et subtiles, et intelligentes, et rusées, pour se débrouiller avec tout ce matériel et toutes ces lettres et toutes ces chausse-trappes que contenaient à coup sûr les livres? N'avait-il pas été prouvé qu'un mot seul était déjà en lui-même immensément potent et compliqué? Après tout, on disait que des gens à cause de livres étaient devenus fous. Jenna était une femme à l'esprit très ouvert, mais elle avait les pires inquiétudes de s'imaginer en train d'ouvrir un livre.

Joanna Fortaggi l'écoutait sans réagir. Elle voyait bien que ces mots que Jenna prononçait étaient ceux qu'on lui avait mis dans le crâne au sujet des livres. Ces mots étaient des emprunts. Elle pouvait sentir avec acuité qu'ils ne contenaient que de l'air. Ils s'agitaient et voltigeaient sans se poser, comme des sachets en plastique. En une seule phrase: ils étaient des faikes. C'étaient les mots des gens qui avaient peur et qui n'aimaient pas les livres et sûrement pas non plus les écrivains.

Sa longue tirade achevée, Jenna gardait les yeux fixés sur Joanna. Toutes les deux restaient ainsi, face à face, en silence. Les mots jetés autour d'elles se défaisaient et retombaient en planant. Leur agitation se déposait. L'air petit à petit redevenait fluide. Au bout d'un temps, il était de nouveau limpide et transparent. Jenna et Joanna se regardaient: toutes ces syllabes porteuses de craintes s'étaient dissoutes. Les mots peureux avaient disparu. Les deux écrivaines se mettaient à rire. L'impatience et la gaieté crépitaient autour d'elles. Joanna Fortaggi encore tendait la main et la posait sur l'avant-bras de Jenna. Ses doigts enserraient son poignet. Puis, souriante et décidée, elle repoussait sa chaise et se dirigeait d'un pas léger vers sa bibliothèque.

62.

Toutes ses craintes envolées, Jenna Fortuni se sentait parfaitement en accord avec ce qu'avait proposé Joanna. Certes, Jenna elle-même n'aurait jamais utilisé ce ton-là et elle n'aurait jamais tourné les choses de manière aussi solennelle. Mais c'était la façon d'être de Joanna, et Jenna devait bien l'accepter. Ne pas reconnaître les qualités de Joanna serait revenu à nier les siennes. Mais si Jenna reconnaissait que Joanna était entreprenante et décidée, Joanna alors pouvait reconnaître que Jenna était prudente et fine. Leurs qualités, se renforçant, devenaient d'autant plus solides. Ce mécanisme à double sens était très curieux.

Ces pensées traversaient l'esprit de Jenna tandis qu'elle regardait Joanna s'approcher souplement de sa bibliothèque, tourner la clé dans la serrure et ouvrir d'une main ferme la vitrine aux verres finement bullés. Joanna se dressait sur la pointe des pieds et tendait la main vers le rayon supérieur. Le bout de ses doigts effleurait le dos de ses premier, deuxième, troisième, quatrième, cinquième, sixième et septième livres. Jenna se sentait frissonner. Elle comprenait évidemment que Joanna n'allait pas commencer en douceur par une traduction. Joanna entendait se plonger immédiatement dans une édition originale. Elle voulait commencer par ses propres livres.

Joanna revenait vers la table avec un volume. La couverture était verte. Il devait s'agir du quatrième ou du cinquième livre de Joanna Fortaggi. Jenna avait toujours confondu ces deux ouvrages. Leurs couleurs étaient proches. Le troisième livre de Joanna aussi devait être dans ces tons-là. Mais Jenna n'avait plus envie d'y réfléchir. La chronologie brusquement ne paraissait plus importante.

Joanna déposait le livre devant elles sur la table. Ce livre était assez large. Il était épais. Sur son dos étaient entrelacés quelques fils d'argent. La tranche des pages aussi était de couleur argent. En cela, le livre était plutôt daté : ces décorations ne se faisaient plus. Il devait décidément s'agir du troisième livre de Joanna Fortaggi.

Joanna retournait le livre dans ses mains. Elle demandait à Jenna si elle était d'accord de le prendre. Jenna acceptait. Elle prenait le livre à son tour dans ses mains. Le livre n'était pas très lourd. Jenna observait de près les détails de la couverture. On ne pouvait vraiment pas se plaindre de la maison Radelpha. Elle faisait bien son travail.

Jenna Fortuni se sentait empruntée. Elle ne savait pas très bien comment il fallait s'y prendre pour ouvrir le livre. Était-il préférable d'écarter le livre par le milieu et de regarder à l'intérieur au hasard ? Ou bien devait-elle procéder comme elle avait vu faire sur une illustration une grand-mère à bonnet lisant des contes à ses petites-filles : en attaquant immédiatement sous la couverture ? Elle faisait part de ses hésitations à Joanna. Joanna haussait les épaules. Le point d'attaque était bien égal. Jenna pouvait commencer par la dernière page, si cela lui faisait moins peur. Joanna Fortaggi n'avait tout simplement pas le courage d'entrer la première dans son livre. Jenna remarquait que Joanna avait l'air tendue. Son intérieur était serré et crispé. Il ne comportait plus un seul espace vide.

Jenna posait sa main gauche sur la couverture du livre. Sa main droite soutenait le dos aux fils argentés. Ainsi tenu, le livre dans ses mains avait l'air protégé et fragile. Les mains de Jenna étaient presque tendres. Jenna Fortuni prenait une inspiration et, fermant un peu les paupières, elle soulevait le couvercle de la couverture.

La première page était toute blanche. Elle ne comportait absolument aucun signe. Cela était à la fois une surprise et un soulagement. Un peu rapidement, Jenna tournait cette page. Là-dessous se cachaient des signes. Ils n'étaient pas trop menaçants, dans le sens où il s'agissait des noms et prénoms de Joanna et du nom souverain de Radelpha. Un autre mot était inscrit sur la page. Joanna indiquait qu'il s'agissait du titre. Ce que Jenna avait découvert lui donnait davantage d'assurance. Après tout, ce que contenaient les livres n'avait finalement pas l'air si terrible. On pouvait franchement s'avancer. Jenna s'était montrée stupide avec ses craintes.

Sans réfléchir, Jenna refermait le livre et le faisait basculer à nouveau entre ses deux mains. Puis ses deux pouces réunis sur l'argent de la tranche étaient enfoncés d'un seul coup dans l'épaisseur des pages. La gorge de Joanna émettait un petit bruit. Jenna enfonçant ses pouces faisait en même temps pivoter le dos de ses mains contre la table. Chacune des mains entraînant avec elle une partie des pages, le livre se dépliait et s'écartait largement.

À présent le livre était écartelé, grand ouvert, sur la table. On pouvait voir son intérieur blanc, deux grandes pages offertes aux regards et striées de petits signes. Jenna se penchait sur les lettres, tandis que Joanna Fortaggi détournait les yeux. Elle éprouvait une résistance à regarder dans son livre. Mais devant le silence de Jenna, et la curiosité l'emportant, elle se penchait en sa compagnie sur la double page.

63.

Le contenu de ces deux pages était intrigant. Il ne ressemblait à rien de ce que Jenna aurait pu attendre. À côté d'elle, Joanna était traversée par les mêmes pensées : son corps était soulevé de vagues de perplexité.

Les mots alignés sur les pages étaient lisibles. Jenna promenait ses yeux sur eux en essayant de rassembler du sens. Étrangement, parcourir tous ces mots lui rappelait une image vue il y avait longtemps sur son écran : un oiseau de mer échoué, en décomposition, dont l'estomac ouvert répandait un contenu d'objets hétéroclites et choquants. Jenna voulait communiquer cette image à Joanna, quand elle s'apercevait que celle-ci, comme elle, était plongée dans des impressions disparates. Joanna, découvrant sa prose, y voyait en effet un amas de mots dont elle n'avait même pas eu l'idée. Elle y associait également des images vues sur un plateau. Lors d'une émission Zoo-Zoo, un spécialiste avait expliqué que les fouines étaient des animaux très voraces, qui mangeaient tout et n'importe quoi. Le contenu de leurs estomacs avait été projeté : un magma de plumes collées, de fourrures, mousses, écorces, coquilles d'œufs, hérissons. Et à coup sûr le contenu du troisième livre de Joanna n'avait rien à envier à ces estomacs. Il était un agglomérat de mots indistincts.

Jenna avait fini de parcourir ces deux pages. Elle tournait l'une d'entre elles, avec prudence. Deux autres pages blanches striées de noir apparaissaient, qu'on aurait dit copiées sur les précédentes. Jenna et Joanna se penchaient sur elles. C'était effectivement les mêmes contenus d'estomacs disparates.

Joanna Fortaggi avait chaud. Son visage était tout rouge. Elle ressentait une drôle d'émotion. Il y avait bien longtemps que cette émotion ne l'avait plus habitée. C'était quelque chose comme un malaise d'être visible et que Jenna voie en elle. Comme une envie de disparaître et de se dissoudre. L'impression d'être exposée sous un projecteur omniscient. Un sentiment de déshonneur humiliant.

Jenna levait la main pour effectuer un autre sondage dans le livre, mais Joanna la retenait. Ce qu'elles avaient vu était suffisant. Joanna se levait et retournait à sa bibliothèque. Elle ouvrait de nouveau la vitrine. Perchée sur la pointe des pieds, elle attrapait un à un ses six autres livres. Cette fois-ci, le choix était vite fait. Jenna était bluffée par la volonté de Joanna. Elle n'avait laissé paraître aucune hésitation. Plutôt une espèce de rage.

Joanna Fortaggi, les bras pleins de ses livres, revenait vers la table du salon. Au lieu de les déposer, elle laissait tomber ses six livres. Deux d'entre eux s'écrasaient et s'aplatissaient en s'ouvrant. Ce qui un jour auparavant aurait été source de malaise pour Jenna Fortuni provoquait tout à coup son amusement. Elle laissait résonner un rire. Elle trouvait soudain plaisant que des livres puissent être éventrés et que ce ne soit pas grave. Qu'ils s'écrasent aussi maladroitement et perdent aussi facilement de leur prestance. Des pages dans la chute s'étaient repliées et on pouvait voir distinctement l'intérieur.

Le livre que Joanna avait signé avec Jenna se trouvait

aussi parmi eux. Jenna Fortuni délibérément le poussait à part. Touchée par la détermination de Joanna, elle n'hésitait pas cette fois-ci avant de plonger dans un livre. Jenna ne se reconnaissait plus: elle empoignait et ouvrait des livres. Le geste n'était pas ardu. Elle les ouvrait tous, sans aucune frayeur, l'un après l'autre, méthodiquement. Et Joanna à côté d'elle accomplissait la même chose.

Les écrivaines compulsant ces livres n'avaient pas besoin de parler. Du reste, qu'y avait-il à dire? Du premier au sixième, tous les livres de Joanna Fortaggi présentaient le même contenu indistinct. Ces livres étaient des sortes de compilations sans ordre, sans but, sans fin ni commencement. On pouvait certes dénicher ici ou là des lambeaux de phrases. Dans son cinquième livre notamment, Joanna découvrait que son éditeur avait fait inscrire cette suite de mots: Joanna Fortaggi est une étoile, sans doute pour vérifier si Joanna lisait ses livres. Ou peut-être par superstition, pour que les mots se réalisent. Plus loin, Jenna mettait le doigt sur un passage qui semblait copié quelque part. C'était une suite de prénoms et de noms de famille. Elle croyait aussi déceler des morceaux de recettes de cuisine. Mais là aussi, le texte était haché. On aurait dit que tout avait été fait pour brouiller le sens et que les mots avaient été déversés en vrac dans le livre.

En soi, les deux écrivaines n'étaient pas étonnées de découvrir ces compilations. Elles savaient bien que c'était le moyen qu'utilisaient quatre-vingt-neuf pour cent des écrivains pour créer leurs livres. Et même si leur mémoire était entraînée à ne rien retenir de ce qui concernait de près ou de loin la composition, elles se rappelaient aussi qu'elles-mêmes n'avaient presque jamais procédé autrement. Il se dégageait cependant une telle impression de fouillis de tous ces livres! Un tel abandon dans ce contenu sans forme, que même des écrivaines chevronnées comme Jenna Fortuni et Joanna Fortaggi se sentaient contaminées par le doute. Refermant un des livres qu'elle venait de parcourir et le repoussant de côté, Jenna Fortuni résumait ce que toutes les deux ressentaient, en déclarant, au bout d'un long instant de silence, qu'elle ne savait pas s'il lui serait encore possible à l'avenir de faire apparaître d'autres livres.

64.

Le septième livre de Joanna n'avait pas été ouvert: c'était celui qu'elle avait fait apparaître en compagnie de Jenna Fortuni. Les écrivaines l'avaient laissé à l'écart. Elles n'avaient pas pu se résoudre à séparer ses pages, sans doute tenues à distance par l'expression clairvoyante de leur visage réuni. Le livre maintenant reposait, intact et tranquille, devant elles.

Pour la première fois, Jenna et Joanna se retrouvaient seules ensemble devant ce visage, qui était le leur. Il n'y avait pas de cameraman pour capturer les changements de leur expression. Il n'y avait pas d'animateur pour aiguillonner leurs sourires ni de téléspectateurs à l'affût de ce qui se jouait dans leurs prunelles. Elles pouvaient se laisser aller et se donner entièrement à la contemplation de ce que disait ce visage qui leur paraissait, à ce moment précis, idéal.

Les deux écrivaines restaient fixées sur lui. Le visage les appelait de tout son éclat. Son regard posé sur le lointain infini, le pli de sa bouche, qui savait sourire sans sourire, son front haut et développé, à la fois ouvert et concerné, ses joues claires et intelligentes, tout cela semblait porter une promesse que les deux écrivaines se sentaient à la fois incapables et sur le point de deviner.

Joanna Fortaggi, d'une voix à peine freinée par l'émotion, faisait part à Jenna de ce qu'elle avait souvent observé : le visage avait la capacité de dire davantage que ses lignes. Il allait au-delà de son dessin. Ce dessin en soi était simplissime, mais pour peu que l'on décide de le regarder un peu plus longtemps, il se compliquait et se compliquait d'une infinité de minuscules couches qui ombraient son trait et le rendaient plus puissant.

Jenna Fortuni hochait la tête. Elle montrait du doigt à Joanna des endroits où cette action étrange s'opérait : dans le contour interne des pupilles et l'extrémité des sourcils, dans l'angle de la mâchoire et de chaque côté des ailes du nez et sous la lèvre inférieure, il semblait en effet que le dessin se creusait et se renforçait de mille petites ombres changeantes et volatiles. Ces ombres bougeaient et se déplaçaient suivant le mouvement du regard. Elles pouvaient foncer le visage ou au contraire l'illuminer de manière subtile en accentuant certaines étendues. Elles pouvaient mettre en évidence des volumes en se concentrant dans des creux. Toutefois, dans chacune de leurs positions, ces ombres légères conduisaient vers l'intérieur du visage, comme vers l'intérieur d'un tunnel. Ce mouvement était irrésistible. Il n'y avait qu'une seule direction. L'œil était attiré. Jenna et Joanna n'avaient jamais fixé leur visage réuni aussi longtemps. Elles ne pouvaient plus s'en détacher. Et il devenait clair peu à peu que ce visage n'avait été que la surface d'une chose qui depuis longtemps était présente, sans être encore apparente.

Les mouvements que les écrivaines ressentaient étaient contradictoires : elles-mêmes étaient attirées vers l'intérieur par le trait léger du dessin, en même temps qu'était senti émerger et monter progressivement du tréfonds du visage quelque chose de lent, de massif et d'inéluctable. Jenna et Joanna sentaient avec épouvante que cette chose qui se détachait et montait vers elles à travers les traits le faisait pour la première et pour l'unique et pour la dernière fois. Et cela seulement pour elles.

Cette présence qui se précisait n'en finissait pas de se développer. Comme un bourgeon impassible soumis au règne du temps. Ou comme l'évolution des nuages, qui ne connaissaient pas de hâte. En face d'elle, Jenna et Joanna se voyaient aussi aspirées et développées dans l'intérieur du visage, comme si ses dimensions, se projetant indéfiniment, entraînaient leurs dimensions intérieures dans de perpétuelles mutations.

Ces transformations sans fin donnaient le vertige aux deux femmes et la sensation de perdre pied. Elles n'avaient plus conscience du lieu où elles se trouvaient. Elles ne savaient plus quelle heure ni quel jour il était, et par moments elles oubliaient totalement qui elles étaient et quels étaient leurs noms. Leur visage sur la couverture les absorbait entièrement.

La présence invisible en train d'émerger augmentait encore. Ce n'était vraiment pas quelque chose d'évanescent, comme aurait pu le faire croire au premier abord le trait délicat du dessin. C'était un bloc extrêmement compact et solide et qui se détachait rarement. Pour tout dire, Jenna et Joanna avaient la nette impression qu'un tel bloc ne pouvait pas se détacher et émerger, normalement. Il ne pouvait en tout cas pas être détaché plusieurs fois. Un tel affleurement était un prodige. Il avait à voir avec les météorites, la construction des pyramides ou des statues colossales sur des îles. Un bouleversement, un déplacement, une manifestation pareils, on ne pouvait pas les imaginer. On pouvait seulement en constater le résultat. Avoir peur. Ou s'émerveiller.

Le résultat justement était sur le point d'affleurer.

Jenna et Joanna se voyaient de plus en plus multipliées et aspirées dans le visage comme dans l'intérieur d'un conduit, en même temps que le bloc sourdant et émergeant se précisait. Sa présence était oppressante. Mais elle créait aussi un espace, où Jenna et Joanna pouvaient s'abriter.

Avant même qu'elles aient pu le réaliser, Jenna et Joanna sentaient qu'elles plongeaient à pic et glissaient à toute vitesse dans un boyau d'accélération. L'instant d'après, elles se retrouvaient toutes les deux à l'intérieur du bloc en train d'émerger.

65.

Cette présence, que Jenna et Joanna ressentaient plus ou moins comme un bloc et un bourgeonnement, n'en finissait pas pour autant d'émerger et de se développer. De l'intérieur d'elle, Jenna et Joanna comprenaient que son émergence n'aurait pas de fin. Elle avait déjà été en train de se dérouler dans les profondeurs du visage, en des moments où Jenna et Joanna ne pouvaient même pas la soupçonner, quand leur livre reposait auprès d'elles sur les tables basses par exemple ou quand il était projeté en tout grand sur les plateaux. Et elle se poursuivrait sans s'arrêter. Jenna et Joanna comprenaient aussi que l'émergence de cette présence ne serait jamais fixe, elle ne serait jamais achevée. Elle n'aurait jamais de définition, pour cette raison qu'elle ne pourrait jamais être une deuxième fois ce qu'elle avait été.

Au centre de ce perpétuel bourgeonnement, les deux femmes éprouvaient dans leurs corps ce que cela signifiait: n'avoir ni fin ni origine. N'être englobée dans aucune limite. Avoir tout l'espace et le temps. Naître à chaque instant de ses propres sources. Être la source de ses prochains instants.

C'était éblouissant et déboussolant. Renversant et bouleversant. Une perception de fou. C'était grandiose, hallucinant, impossible à cerner, impossible à saisir, sublime et terrible en même temps. C'était l'état de leur être que Jenna et Joanna sentaient manifesté. Leur être, tel qu'il existait en ce livre qui les réunissait toutes les deux.

Jenna avait les larmes aux yeux. Elle était frappée et sonnée. Elle se voyait au centre de cette présence massive, animée et statique, comme dans l'intérieur d'une pierre en fusion. Elle ne pensait à rien d'autre qu'à ressentir les développements et révolutions autour d'elle. Leur être se développant. Encore et encore. D'autres mouvements. Un état en amenant un autre et chacun dans son achèvement ne constituant jamais qu'une étape donnant lieu à d'autres et d'autres développements. Il n'y aurait jamais de pause. C'était beau, imperturbable et immense à pleurer.

Joanna avait une légère nausée. Comme à chaque fois qu'elle était touchée, son estomac lui envoyait des signaux. Sa tête se rebellant essayait de trouver des explications, mais elle ne pouvait s'accrocher à rien de ce qui lui était connu : ce que Joanna ressentait n'était pas du rêve éveillé ; elle n'était pas en train de dormir non plus ; ce n'était pas une imagination ; ce n'était pas une expérience d'hypnose, car Joanna sentait que Jenna était plongée à côté d'elle dans le même état ; ce n'était pas dû à l'absorption d'une substance toxique ou hallucinogène, car Joanna et Jenna n'avaient absolument rien bu. Un instant, Joanna examinait l'hypothèse que la déshydratation les ait plongées dans cet état. L'hypothèse était balayée : ce que Joanna ressentait était mille fois audessus de tout ce qu'elle avait pu ressentir, voir, saisir et connaître dans sa vie. Elle parvenait à la conclusion qu'il s'agissait à proprement parler d'une sensation hors norme impossible à catégoriser. Après quelques hésitations, elle prenait la décision de s'y laisser aller.

À partir de cet instant, Joanna ressentait avec une précision plus aiguë toutes les mutations et transformations autour d'elle. Elle les contemplait dans leur complexité. Elle était emportée par leur beauté. Elle était terrorisée par leur constante impassibilité. Elle rejoignait Jenna dans sa contemplation, plongée dans la magnificence. Le spectacle offert à leurs sens était hors les mots. Les deux écrivaines vibraient à l'unisson. Et en ces quelques instants, elles étaient exactement une.

Une mélodie, un bruit de porte et de petites voix qui résonnaient les dérangeaient et les ramenaient dans le salon. Un peu engourdies, Jenna et Joanna relevaient leurs têtes qui étaient restées penchées sur leur livre. Les voix des enfants s'attardaient dans l'entrée.

Soudain, prise d'une impulsion et comme pour profiter des toutes dernières parcelles de calme et de solitude, Joanna se repenchait avec vivacité sur le livre. Elle le saisissait dans ses mains et, son pouce droit appuyé contre la tranche, elle faisait rapidement défiler ses pages. Les pages s'élevaient et retombaient à grande vitesse sous les yeux des deux écrivaines. C'était comme un battement d'éventail. En un éclair, elles voyaient tout ce qu'il y avait dedans.

À ce moment, les deux aînés de Joanna se précipitaient vers leur mère. Ils prononçaient trente-six mots à la fois. Ils voulaient du fromage et du chocolat. L'aîné allumait ses écrans à l'aide de la puce sous sa peau. Le volume du son était au maximum. Joanna à contre cœur se levait. Son corps était ankylosé. Le livre était posé sur la table. Son visage était toujours fin et attirant. En se rendant dans la cuisine, Joanna se retournait encore pour le regarder. La présence en train d'émerger y était encore, quoique infiniment moins sensible. Elle semblait en train de retourner dans les profondeurs.

Jenna Fortuni aussi gardait les yeux sur le visage de la couverture. Elle ne voulait plus s'en éloigner. Mais le fils aîné de Joanna s'amusant à descendre les stores, la pièce était plongée dans l'obscurité. Jenna se levait aussi. Elle allait saluer Joanna dans la cuisine et rentrait chez elle.

66.

Le moment où Joanna Fortaggi avait feuilleté leur quatrième et septième livre avait été très très bref. Les écrivaines avaient eu à peine quelques secondes pour laisser glisser leurs regards dans l'éventail de ses pages. Mais ce moment avait été à couper le souffle. Ce que Joanna et Jenna avaient vu dans le livre était un enchantement. Et ce n'était ni farfelu ni extravagant de le penser ainsi, au vu des illustrations qui s'y étaient découvertes. Car, dans le feuilletement du livre, des centaines, des milliers, des nombres incalculables d'ailes de papillons, isolées, de toutes formes et grandeurs, s'étaient élevées et avaient brillé, exquisément reproduites.

Le papier des pages était fin et léger. La lumière et le regard passaient à travers lui. Les ailes de papillons étaient distinguables sur les deux côtés. Il avait semblé à Jenna qu'elles étaient reproduites sans ordre et sans intention, une énorme aile chevauchant une petite, des rondes une effilée, cinq ailes battant les unes contre les autres dans le coin d'une page et trois autres voulant s'élancer vers le bas. En plusieurs endroits, et ce n'était pas rare, quatre ailes dépareillées semblant tout à coup s'être unies offraient l'élan inattendu d'un frais et nouveau papillon. Il avait semblé aussi à Jenna que les paires d'ailes se réunissant pour former un papillon étaient devenues de plus en plus fréquentes vers la fin du livre. Elle n'avait pas pu le vérifier. Le défilé des images avait été trop rapide.

Sur l'une des toutes dernières pages, Jenna et Joanna avaient tout de même eu le temps de saisir une image qu'elles n'étaient pas près d'oublier. Cette page était restée ouverte une fraction de seconde, avant que les enfants de Joanna fassent irruption dans la pièce. Jenna et Joanna y avaient aperçu le déploiement d'un immense, somptueux papillon, gracieux, ouvert et élancé, dont les quatre ailes réunies resplendissaient extraordinairement sur la page. Les deux paires d'ailes de ce papillon étaient identiques. Elles étaient d'une complexité et d'une richesse inimaginables. Le chatoiement de ses couleurs était sans équivalent. Ces ailes luisaient et palpitaient de milliers de teintes, qui formaient un condensé de pigments excessivement rare et prenant.

Joanna et Jenna en une fraction de seconde avaient reçu pour toujours l'empreinte de son sceau glorieux. Et, avant que le livre se referme, elles avaient aussi eu le temps d'apercevoir dans ce précipité de lumière, en un clair et stupéfiant filigrane, les traits de leurs deux visages sereins et concernés, individuellement dessinés dans la matière de chacune des paires d'ailes.

Plus tard Jenna, rentrant songeusement chez elle, s'était félicitée de ne pas avoir vraiment eu d'enfants : ce moment où ceux de Joanna Fortaggi l'avaient arrachée à elle-même dans la contemplation de ce livre avait été un déchirement. Jenna Fortuni avait eu l'impression d'être forcée de tourner la tête à cent quatre-vingts degrés sur ses épaules pour regarder derrière elle, direction qu'elle n'avait eu à ce moment-là aucun désir ou intérêt de considérer.

67.

Jenna Fortuni et Joanna Fortaggi ne parlaient à personne de ce qu'elles avaient vécu à l'intérieur du dessin. À qui auraient-elles pu le dire? Leurs maris étaient très présents et attentionnés, et ils auraient sûrement essayé de les comprendre. Mais il y aurait eu tant de choses subtiles à mettre en mots. Il aurait fallu que leurs maris puissent entrer dans leur peau pour comprendre ce qui s'était vraiment joué. Et par quels moyens le leur faire sentir? Les deux femmes elles-mêmes n'en avaient pas gardé une conscience très précise et leurs impressions commençaient un petit peu à se dissiper.

Il y avait autre chose: Jenna Fortuni et Joanna Fortaggi n'avaient pas encore révélé qu'elles étaient allées dans des livres. Elles ne savaient pas comment le faire. Elles n'avaient avoué à personne, rigoureusement à personne, qu'elles s'étaient mises à ouvrir les volumes qui leur tombaient sous la main. Larsen Frol lui-même n'avait pas été mis au courant. Jenna pourtant le considérait comme un intime. Mais à un ami intime non plus elle ne savait pas comment communiquer qu'elle avait mis le nez dans ses livres.

Les livres de Larsen que Jenna Fortuni avait ouverts n'avaient pas été refermés aussi prestement que ceux des autres écrivains. Leurs contenus lui étaient apparus un peu moins dérisoires et saugrenus. Ils n'avaient pas provoqué de fous rires ou d'abattement chez Jenna. Le premier livre de Larsen Frol surtout présentait quelque chose de plus consistant. Jenna gardait en mémoire ses premières pages, où les phrases lui avaient semblé posées en quelque sorte sur une terre solide. Un terreau fertile, dans lequel certains des mots de Larsen avaient pu enfoncer des racines. Par la suite, les livres de Larsen Frol avaient paru progressivement se désagréger. Il avait semblé à Jenna que le passage était visible où Larsen s'était mis à travailler à l'aide des banques de composition : à partir de ce moment-là, ses livres devenaient franchement des fourre-tout. Des compilations certes considérablement plus habiles et brillantes que toutes celles que Jenna avait feuilletées, mais qui mêlaient comme toutes les autres des brisures de mots, des amas, des éclats de phrases. Jenna en avait été déçue. Elle avait dû se résoudre à regarder en face cette vérité toute plate : son ami Larsen Frol n'était pas tout à fait un génie.

Et enfin Jenna un beau soir s'était décidée à guigner dans ses propres livres. Elle l'avait fait dans la solitude et sans en avertir Joanna. Jenna Fortuni était réservée. Elle était d'une nature pudique et avait besoin de conserver son jardin secret. Du reste, qu'est-ce qui aurait empêché Joanna de son côté d'ouvrir les livres de Jenna Fortuni ? Ces derniers étaient partout en vente.

Jenna s'était donc installée dans sa chambre. Elle avait tiré les rideaux et fermé la porte, de sorte que ni Jack, ni Pam, ni aucun voisin, ni son mari ne puissent être au courant que la romancière Jenna Fortuni se promenait dans ses livres. Elle avait allumé une lampe et, prenant ses beaux livres dans ses mains, elle les avait ouverts tous les trois dans ce petit rond de lumière. En parcourant leurs pages, Jenna Fortuni avait tout de suite reconnu le principe de compilation. Et dans tous les trois, elle avait décelé ce qui devait constituer peu ou prou la marque de son propre style : des collages évidemment, et certes sans queue ni tête, mais bien ordonnés, appliqués et studieux. Sur sa lancée, Jenna s'était ensuite approchée des ouvrages de son mari. Ce n'était pas difficile : ils étaient disséminés un peu partout dans l'appartement. Ils représentaient même quasiment les seuls endroits de couleur sur la surface crème de l'ensemble. Il y en avait un grand nombre dans la chambre. Jenna les amenait sous la lampe et les posait les uns sur les autres. Elle ressentait une forte appréhension en faisant ces gestes. La sensation que son corps n'était plus qu'un fort battement.

Les livres du mari de Jenna étaient de formats et coloris variés. Ils pesaient tous un bon poids. Jenna prenait dans ses mains un exemplaire rose, sur la couverture duquel se dessinait en relief un petit enfant tenant dans sa menotte un épi de blé. Elle le retournait et le retournait et le reposait sans avoir pu l'ouvrir. Un autre des livres de son mari était entièrement noir. Une telle couverture était un défi. Jenna n'osait pas non plus l'entrouvrir. Elle en prenait un troisième. Il était bleu roi. Elle le reposait. Elle saisissait deux livres de petits formats, minces et lourds, dont le papier devait être de prix. Ceux-ci ne présentaient aucun dessin sur leur couverture. Jenna soulevait la couverture rigide de l'un des deux et commençait à tourner des pages. D'une page à une autre, elle se mettait ainsi petit à petit à parcourir tous les ouvrages de son mari.

Dans les livres du mari de Jenna, le principe de composition était différent de tout ce que Jenna avait pu découvrir dans d'autres livres. Ici, il ne s'agissait pas de compilations, de copies d'extraits ou de fatras. Les espaces dans les livres de son mari étaient très très grands. Ils s'étendaient sur des pages entières. On pouvait presque dire qu'il s'agissait de livres consacrés aux espaces. Ils contenaient des suites de blancs. Ils contenaient des vides, qui cependant était des pleins, du fait qu'ils étaient constitués de papier.

Ce procédé était très très fort. Jenna était fascinée. Elle n'avait jamais rien vu de pareil. Parfois un seul mot était répété sur plusieurs pages pour délimiter les vides et donner du rythme à l'ensemble. Jenna comprenait cette intention intuitivement. Parfois aussi les enchaînements étaient très difficiles à saisir : un mot flottait par-ci par-là au milieu de tous ces espaces. Jenna comprenait que le choix de ce mot était d'autant plus difficile. Elle pensait à son mari avec admiration. Parfois son mari avait tenté d'assembler plusieurs mots. Le procédé bien sûr avait échoué, mais il en était resté quelque chose entre et autour des mots, qui faisait que l'on percevait quand même ce qu'aurait été le résultat si le mari de Jenna était arrivé à ses fins. Au fur et à mesure des publications, les mots dans les livres du mari de Jenna se faisaient plus ténus et rares. Ses derniers livres ne contenaient plus un mot. Il devenait carrément impossible de distinguer les différents espaces. Ceux-ci se confondaient en un seul blanc. Les pages étaient d'un papier entièrement vierge et immaculé. Ses éditeurs n'avaient pas lésiné sur la qualité : ce papier était aveuglant.

68.

Les jours suivants, Jenna Fortuni et Joanna Fortaggi recevaient toutes les deux un message de leur éditeur, adressé à Madame Joeanna Fortunaggi. Le ton du message était flatteur et il augurait de très bons développements. L'éditeur de Radelpha y laissait en effet entendre que des nouveautés étaient à prévoir. Il espérait que cette bonne nouvelle réjouirait sa superauteure et qu'elle serait comme lui heureuse de bientôt devenir plus grande. À la lecture de ces mots, les visages de Jenna et de Joanna se crispaient. Il n'y avait pas besoin d'être très maligne pour deviner ce que l'éditeur voulait dire : il s'agissait évidemment d'un nouveau livre.

Les craintes de Jenna et de Joanna étaient confirmées par des demandes de compléments et précisions qui se mettaient à tomber par petites touches sur leurs écrans : parfois c'était un simple formulaire que leur éditeur leur demandait de signer. Les paragraphes étaient laissés en blanc. Tantôt c'était une photo qu'il fallait faire et il leur était demandé de porter le même manteau et de respecter la même pose, au millimètre près. Leur éditeur, par messages, leur posait des questions bizarres, qui semblaient tout droit sorties d'un algorithme : quelle était la couleur la plus fréquentée par sa superauteure ?

Et sa couleur la moins fréquentée ? Et dans quel format sa superauteure verrait-elle une carte de visite pour le cinéma ? Dans une file d'attente, en hiver, quelle serait la matière de son choix : la fourrure ou la plume ? Son animal de secours était-il la belette, le glouton ou le pélican ? Au cas où des travaux d'agrandissement auraient lieu, sa superauteure serait-elle en mesure d'accueillir p) un homme u) une femme ? Bien entendu, Jenna et Joanna étaient tenues d'apporter une seule et même réponse à chaque question.

L'éditeur parlait aussi dans ses messages de se retrouver à nouveau autour d'un repas. Mais il ne précisait pas la date, ce qui laissait le temps à Jenna Fortuni et Joanna Fortaggi de réfléchir à l'attitude à adopter. Il était clair pour toutes les deux qu'une nouvelle publication n'était plus possible. Et cette perspective les mettait en crise.

Les deux écrivaines se retrouvaient de nouveau chez Joanna pour en discuter. Joanna Fortaggi comme d'habitude était la plus décidée. Elle était d'avis qu'il fallait frapper un grand coup et annoncer une bonne fois pour toutes à leur éditeur qu'elles s'étaient rendues dans des livres. Ensuite, il serait sûrement facile de lui prouver qu'un cinquième et huitième livre, dans ces conditions, serait totalement déplacé.

Jenna Fortuni était d'un autre avis. Elle disait qu'il ne fallait pas sous-estimer les ramifications de Radelpha. Qu'est-ce qui garantissait à Jenna et à Joanna qu'elles pourraient encore demeurer des écrivaines, si elles se mettaient à dos la profession ? Radelpha était très puissante. Elle étendait ses tentacules dans des directions que ni Jenna, ni Joanna, ni aucune personne de leur connaissance ne pouvait soupçonner. Ces tentacules s'étendaient peut-être jusque dans ce salon, prophétisait Jenna en regardant autour d'elle.

Au même moment, et au son d'une mélodie, le mari de Joanna entrait dans la pièce, faisant une forte impression. Jenna poussait même un cri.

Le mari de Joanna revenait de son travail. Croyant que le cri de Jenna était dû à la mélodie, il lui donnait des explications : en tant qu'amateur musicien, il avait été bouleversé par la perte de la matrice musicale. Mais le choc surmonté, il avait tout de même réussi à bricoler des mélodies à l'aide de deux ou trois algorithmes et c'étaient ces mélodies qui retentissaient à chaque ouverture de la porte d'entrée. Certes, elles étaient constamment les mêmes, mais on pouvait y trouver un certain charme et une certaine profondeur.

Le mari de Joanna n'avait jamais rencontré Jenna Fortuni, mais il l'avait bien sûr vue sur son écran. Il la complimentait pour ses livres, ce qui mettait Jenna et Joanna mal à l'aise. Le mari de Joanna sans le remarquer vantait les couvertures de Jenna, comme c'était la coutume. Il louait le format de ses ouvrages : les livres de Jenna Fortuni étaient jolis. Elle avait fort bien réussi. Pour le reste, le mari de Joanna devait avouer qu'il n'y connaissait rien de rien. Il avait beau partager la vie d'une écrivaine à succès, la composition des livres demeurait pour lui un complet mystère. Plus mystérieux qu'un tour de magie ! concluait en riant le mari de Joanna.

Celle-ci rougissait un peu. Depuis quelque temps, son tempérament s'était adouci. Elle était devenue moins altière. Elle acceptait avec plus de simplicité les compliments. Son mari l'avait noté avec plaisir, et un peu d'inquiétude. Il s'était demandé si ce changement chez sa femme n'était pas dû à la crise qui était dite « des plateaux » et qui survenait statistiquement en majorité chez les écrivains. Cette crise prenait certains écrivains comme un orage. Soudainement, et en général pour toujours, ces écrivains refusaient les télévisions. Ils devenaient allergiques aux plateaux. Ils exécraient les caméras. Ils se terraient dans des bureaux, des hôtels ou des cabanes. Il s'en trouvait des exemples célèbres, dont le mari de Jenna Fortuni n'était pas le moins significatif.

Le mari de Joanna n'avait pas le temps de s'attarder : des cris s'élevaient des chambres des enfants, témoignant d'une violente dispute. Il allait les séparer. Les enfants ensuite avaient faim. Joanna et Jenna entendaient leurs éclats de voix et le bruit des tasses et des assiettes que le mari de Joanna sortait en hâte des armoires de la cuisine.

69.

Pour la première fois de leur carrière, Jenna Fortuni et Joanna Fortaggi avaient à se soucier d'un paramètre qui n'était pas clair et précis : le contenu de leur prochain livre. Le reste, toutes ces histoires de couleur, d'illustrations, de format, était devenu accessoire. Elles n'y pensaient plus. Car enfin, comment s'y prenait-on pour remplir un livre ? Jenna et Joanna cherchaient des pistes ou des références dans leurs mémoires, mais les seules images qui leur venaient lorsqu'elles pensaient à des livres étaient encore ces fatras informes, ces résidus et ces raclures de dictionnaires, ces ramassis d'estomacs qu'elles avaient découverts dans presque tous les volumes.

Il était particulièrement pénible à Jenna et à Joanna d'avoir à côtoyer encore ces objets infâmes. Devant les caméras de télévision, elles essayaient bien de tirer de côté leurs genoux afin de rompre tout lien symbolique avec eux. Mais c'était en vain. Leurs livres les suivaient partout. Dans ces conditions, que pouvaient faire Joanna et Jenna ? Quitter le métier était impensable. Mais poursuivre la vie d'avant l'était tout autant. À la limite, Joanna et Jenna auraient quand même préféré devenir acheteuses plutôt que de continuer à trôner à proximité de tels ramassis.

Se découvrir dans une telle impasse faisait souffrir les écrivaines. Joanna, parce qu'elle ne pouvait imaginer d'autre vie que celle de fleur des studios. Joanna Fortaggi ne pouvait être qu'une belle rose épanouie au centre de tous les bouquets. Jenna, parce qu'elle se sentait paniquée à l'idée du vide qui pourrait s'ouvrir si d'aventure elle devait passer ses journées à la maison, au lieu de se rendre dans les studios. Jenna Fortuni ne savait pas cuisiner. Elle ne savait pas jardiner, et d'ailleurs les bacs à fleurs sur son balcon étaient pleins de petits cailloux. La cage de l'oiseau de Jenna n'avait besoin d'être nettoyée qu'une fois par jour et c'était déjà son mari qui s'en chargeait, pour reposer ses neurones. Jenna aurait pu coller d'autres stickers à ses fenêtres. Mais elle n'aimait pas ça. Non, Jenna n'aimait pas tant que ça les enfants. Elle n'en voulait pas d'autres.

Quand elles en avaient assez de ressasser ces pensées, Jenna et Joanna en venaient de nouveau à imaginer ce que ce serait de composer de l'intérieur un livre. Elles rêvaient tout haut à ce qu'elles inscriraient dedans. Elles imaginaient comment leur éditeur, découvrant ce livre, serait immédiatement convaincu de la justesse de son contenu. Comment les animateurs, tâche ô combien difficile, seraient eux aussi frappés par son bien-fondé.

Ah, cette ambition était tout de même noble et belle. Elle était aussi énorme, écrasante. Jenna et Joanna ne savaient pas par quel bout l'attraper. Les deux écrivaines étaient pourtant de bonne volonté : au terme des émissions, elles se donnaient régulièrement rendez-vous au domicile de l'une ou de l'autre. Pour se mettre en train, elles faisaient des recherches sur leurs écrans et commençaient par discuter de diverses questions : à quoi servait-il de remplir des livres, pourquoi les compilations leur étaient-elles devenues impossibles ?

Ces discussions et mises au point auraient pu durer très longtemps. Mais un jour avait fleuri, sur les écrans de Jenna et de Joanna, comme une jolie fleur vénéneuse, un message de leur éditeur portant une date, une heure et l'adresse d'un restaurant.

70.

Le jour arrivait où Joeanna Fortunaggi avaient rendez-vous avec l'éditeur de Radelpha. Joanna Fortaggi et Jenna Fortuni se retrouvaient devant le restaurant indiqué. Elles poussaient la porte vitrée. La superauteure de Radelpha faisait son entrée dans l'établissement. Le serveur venant à sa rencontre lui indiquait la direction de l'arrière-salle et, la précédant, la faisait passer à travers les clients et les tables, puis le long du comptoir dans un bref et étroit couloir qui débouchait sur une salle carrée. Les tables étaient couvertes de blanc. En face de l'entrée, un long miroir garnissait tout le mur du fond sur sa partie supérieure. Traversant la salle, Joanna Fortaggi et Jenna Fortuni se regardaient arriver dans ce miroir en direction de l'homme aux épaules carrées qui était assis dessous et qui se levait à présent et dont elles pouvaient voir à la fois l'avant et l'arrière de la tête. Il était bien sûr leur éditeur. Le serveur satisfait s'en allait.

L'éditeur de Radelpha saluait Joeanna Fortunaggi et les faisait asseoir. La salle à part eux trois était vide. Pour une fois l'éditeur avait pris place sur la banquette, alors que Joeanna Fortunaggi étaient installées sur des chaises. L'éditeur avait un peu changé. Quelque chose dans son physique était différent. Ce n'était pas grand-chose, mais suffisant pour que l'attention de Jenna et de Joanna en soit éveillée. Peut-être était-ce simplement sa coiffure ou son veston. L'éditeur avait les coudes posés sur la table. Il joignait les mains, croisant et décroisant les doigts et frottant ses paumes l'une contre l'autre en produisant un doux chuintement de peau. Il ne disait rien. Jenna et Joanna ne disaient rien non plus. Elles percevaient en l'éditeur les mouvements de sa matière qui s'écoulait avec des saccades.

Le serveur amenait la carte. Jenna et Joanna commandaient de la viande. L'éditeur, qui n'avait pas très faim, se faisait servir une salade avec des anchois et de l'eau. Il mangeait sans hâte. À un moment il se plaignait, parce que certains des anchois n'avaient pas été correctement préparés. L'éditeur devait ôter de sa bouche un faisceau d'arêtes. La chose en soi n'était pas grave et l'éditeur aurait pu les avaler sans souci, mais il expliquait à sa superauteure les dangers que pouvaient représenter des arêtes pour des petites gorges. Puis l'éditeur se lançait dans des considérations sur la blancheur des nappes et le sérieux des restaurants. L'un et l'autre, contrairement à ce que les restaurateurs voulaient faire croire, n'étant pas obligatoirement liés.

De là l'éditeur dérivait sur la blancheur des pages. Cet éditeur était très très efficace. Il possédait une patience de caïman et une intuition de chauve-souris. Il était parfaitement capable d'attendre le dessert pour parler et de laisser mariner ses auteurs dans leur plat.

Et le moment du dessert, justement, était venu. L'éditeur se carrait contre son assiette, qu'il avait un peu repoussée. Jenna et Joanna n'avaient pas fini, mais elles repoussaient aussi prudemment les leurs. Les discussions allaient commencer.

L'éditeur se penchait en avant sur la table. Joanna

Fortaggi et Jenna Fortuni étaient surprises de remarquer qu'il avait de très beaux yeux, verts. Elles ne les avaient jamais vus. Elles étaient surprises de sentir que ces yeux leur parlaient bellement et intensément. Ils entraient par les propres yeux de Jenna et de Joanna, et de là ils se frayaient un chemin tout droit et profondément, comme une dague. Le chemin frayé était large. Il n'était pas hésitant.

Joeanna..., commençait l'éditeur de Radelpha, et c'était la première fois qu'il s'adressait ainsi à sa superauteure. En temps normal, il aurait prononcé ses deux noms. L'éditeur entendait commencer depuis le début: tout d'abord, il y avait bien sûr cette pensée que Joeanna Fortunaggi avaient eue de se fabriquer dans leur coin un ouvrage. L'éditeur n'en savait pas beaucoup, mais il avait été mis au courant par quantité d'algorithmes qui s'étaient follement agités à chaque fois que Joeanna Fortunaggi avaient fait des recherches sur leurs écrans. Ces algorithmes étaient tout de même de sacrés coquins. Ils aimaient un peu trop l'espionnage. L'éditeur n'y pouvait rien: Joeanna Fortunaggi et lui-même avaient si souvent travaillé écran contre écran. Par algorithmes, et pour le meilleur comme pour le pire, ils étaient liés.

Ici, Jenna Fortuni croyait bon d'intervenir pour se justifier. Elle ouvrait la bouche, mais l'éditeur sans lui laisser le temps d'émettre un seul son se penchait un peu plus en avant: que Joeanna Fortunaggi se tranquillisent. Leurs tentatives aux yeux de Radelpha n'étaient pas mauvaises. Joeanna Fortunaggi avaient toutes les deux fort bien pressenti – et à cet endroit l'œil gauche et l'œil droit de l'éditeur s'arrêtaient individuellement sur l'une et sur l'autre écrivaine – ce qu'étaient pour elles désormais les intentions de Radelpha. L'éditeur devait en convenir: Joeanna Fortunaggi étaient une superauteure qui n'avait pas sa pareille. Sa sensibilité parlait pour elle. Son intuition était abyssale. Son intelligence couronnait le tout.

L'éditeur, redressant son dos parfaitement à plat contre le mur, laissait un moment de silence, le temps pour Joeanna Fortunaggi de digérer ces compliments.

Jenna et Joanna ne s'étaient pas attendues à cela. Elles ne savaient pas s'il fallait répondre ou demeurer coites sur leurs chaises. Comme d'habitude, Joanna était bouillonnante et échauffée, et Jenna était plus craintive. Ces mouvements divergents créaient dans l'espace entre elles de minuscules tourbillons. Leur éditeur ne semblait pas en avoir conscience. Il reprenait la parole. Il avait une nouvelle extraordinaire à leur transmettre, faisait-il en se penchant de nouveau en avant pour leur faire admirer au plus près ses yeux verts, au fond desquels Jenna et Joanna découvraient deux petits lacs d'or endormis. Cette nouvelle était importante, car elle émanait directement de Radelpha. L'éditeur espérait que l'attention de Joeanna Fortunaggi était à son maximum. Il collait étroitement ses épaules contre le mur, de sorte que sa tête reposait à présent contre le miroir. Joanna et Jenna avaient l'impression qu'il se tenait dos à dos avec un autre éditeur, dont elles ne connaissaient pas encore le visage. L'éditeur les regardait dans les yeux. La faculté qu'il avait de les fixer toutes les deux en même temps était proprement phénoménale. En ces instants, il avait vraiment tout d'un caïman.

71.

Joanna Fortaggi et Jenna Fortuni étaient curieuses. Elles craignaient certes les décisions de Radelpha, parce qu'elles avaient entendu dire que celles-ci allaient souvent dans le sens du broyage et du concassage. Mais d'autre part il y avait longtemps que Joanna Fortaggi et Jenna Fortuni auraient attendu un signe de reconnaissance de la part de leur maison d'édition : elles avaient beaucoup travaillé, mais Radelpha n'avait jamais donné signe de vie. Radelpha ne les avait jamais remerciées. Joanna et Jenna n'avaient jamais eu affaire qu'à d'aveugles et sourds algorithmes, et bien sûr à la personne de cet éditeur. Et tout imposant qu'il était, elles réalisaient que leur éditeur n'était jamais qu'un rouage qui reproduisait et suivait des ordres. La maison Radelpha était un grand mécanisme.

Leur éditeur allait droit au but : durant la carrière de Joeanna Fortunaggi, Radelpha avait posé un œil particulièrement vigilant sur elles. Elle les avait observées et accompagnées. Les choses étant allées toutes seules, Radelpha n'avait pas eu besoin de se manifester. Mais aujourd'hui, pour une raison qui allait devenir plus tard évidente, Radelpha avait jugé qu'il était temps de venir personnellement à la rencontre de sa superauteure.

Et avant que Jenna ou que Joanna aient eu le temps d'ouvrir la bouche, l'éditeur levait la main et faisait brièvement claquer ses doigts en direction de la porte, qui était restée grande ouverte. Le serveur attentif et vaquant à proximité dans le couloir inclinait simplement la tête et se détournait pour faire entrer la silhouette qui débouchait au même instant dans son dos. Le timing était parfait. Le serveur s'effaçait et l'éditeur annonçait que c'était Radelpha en personne qui mettait maintenant le pied dans la salle.

Quelqu'un en effet s'avançait vers leur table. Mais tout allait tellement vite. Jenna et Joanna se sentaient dépassées. Elles étaient incapables de réaliser ce qui était en train de s'effectuer sous leurs yeux. Si grands et si puissants le nom et la réputation de Radelpha que les deux romancières ne s'étaient jamais représenté sa personne. À leurs yeux, Radelpha n'était pas humaine. Elle n'était pas une seule. Radelpha était multiple et impossible à délimiter. Quand elles pensaient à Radelpha, Jenna et Joanna voyaient des espèces de coffres, hauts et larges comme plusieurs pâtés de maisons, et barricadés et blindés comme des bunkers de banques. Elles étaient parfois à deux doigts de se demander si Radelpha n'était pas une ou plusieurs multinationales. Songeant à Radelpha, Jenna voyait en outre des ramifications qui s'étendaient au-dessous du sol comme des canalisations qui deviendraient de plus en plus fines, tout en demeurant solides et fermes. Et Joanna imaginait que la matière dont Radelpha était faite n'était pas commune. Elle se figurait quelque chose entre le titane et l'amiante.

Mais voici que c'était une simple forme, et même pas très grande, qui se présentait en son nom sous leurs yeux. Les deux écrivaines dans le miroir regardaient s'approcher la silhouette de Radelpha qui grandissait et se précisait et qu'elles allaient devoir, dans exactement dix secondes, saluer en repoussant leurs chaises.

Radelpha avançait à travers les tables. Son pas sonnait sur le carrelage. Jenna et Joanna baissaient les yeux pour ne pas avoir l'air de fixer trop grossièrement son visage. Puis, quand la présence de Radelpha derrière elles était sensible comme un point aigu sur leurs omoplates, elles repoussaient leurs chaises en se retournant et en se levant en même temps. Leurs chaises faisaient beaucoup de bruit. L'éditeur en face d'elles se levait aussi. Il voulait faire les présentations. Mais Radelpha le stoppait d'un sourire : ses auteurs, elle les connaissait. Elle suivait toutes les émissions. Rien de ce qui concernait un auteur de la maison Radelpha n'échappait à son regard ou à son oreille. Cela étant dit, Radelpha les priait tous les trois de se rasseoir. Elle-même prenait place sous le miroir à côté de l'éditeur.

Radelpha était assise en face de Jenna et de Joanna. Elle les considérait avec des yeux ronds et petits qui auraient pu paraître étonnés, mais qui papillotaient en fait de vitalité. Les cils des yeux de Radelpha sur tout leur pourtour étaient épais et fournis.

72.

Jenna et Joanna d'emblée étaient frappées par une évidence : Radelpha n'était pas très différente de ce qu'elles étaient. Elle était une personne aussi. Elle n'était pas encore vieille. Elle était peut-être de quelques centimètres plus menue que les deux écrivaines et son allure était peut-être un peu plus sèche, mais elle était brune aussi et elle avait une façon de sourire, de bouger la tête ou les épaules qui aurait tout à fait pu être celle de Jenna ou de Joanna.

Il n'était en tout cas pas difficile de comprendre qu'avec Radelpha on ne pouvait pas discuter. Elle n'attendait jamais de réplique. Sauf quand elle l'avait explicitement fait comprendre en montant la voix. Radelpha n'en était pas coupante pour autant. Elle mariait dans sa voix le respect et l'autorité. L'affection et la clairvoyance. La bienveillance et l'impartialité.

Tandis que Radelpha parlait, les yeux de Jenna et de Joanna n'étaient pas tranquilles. Les deux écrivaines auraient mieux fait d'écouter ce que disait Radelpha, mais elles n'arrivaient pas à se concentrer. Il y avait trop d'éléments nouveaux à enregistrer. Leurs esprits recevaient et brassaient toutes sortes de pensées fébriles. Jenna et Joanna n'osaient par exemple pas lui demander si Radelpha était son nom ou uniquement celui de sa maison d'édition. Elles regardaient sa personne avec curiosité. Elles n'arrivaient toujours pas à rattacher à sa simple forme le nom imposant trônant sur des millions ou peut-être même des milliards de couvertures.

Joanna Fortaggi, suivant sa réflexion un peu plus loin, rencontrait tout à coup une pensée insolite. Cette pensée disait que Joanna aurait tout aussi bien pu mettre son nom sur tous ces livres. Joanna aurait tout aussi bien pu être Radelpha, à la tête de la maison Radelpha. Bien sûr, puisque Radelpha comme elle avait forme humaine. Joanna était gênée et effrayée et elle ne voulait pas de cette pensée, mais elle la sentait frétiller auprès d'elle avec insistance. Jenna non plus n'en voulait pas, mais elle sentait aussi cette pensée tournoyer autour d'elle et chercher une prise où s'accrocher. Elle essayait de faire disparaître l'idée, qui devenait au contraire de plus en plus ferme. Car enfin, que possédait Radelpha de plus que Jenna Fortuni ? Radelpha était femme, tout comme Jenna et Joanna. Elle était de chair et de peau. Elle était de muscles et de corne. Elle filtrait de l'air à travers des bronches. Elle était talentueuse, mais Jenna et Joanna dans leur domaine l'étaient aussi. Elle était mystérieuse, mais Jenna et Joanna pouvaient facilement s'inventer du mystère. Depuis que Radelpha était à leur table, il n'y avait guère que le ton de sa voix et cette façon de marier la bienveillance et la lucidité qui étaient proprement impressionnants.

Et même, ces effets-là aussi Jenna et Joanna remarquaient qu'ils commençaient à s'affaiblir et se dissiper. La personne de Radelpha, quand elle était entrée dans la pièce, avait été certes très très imposante. Mais, par une sorte de dégonflement progressif et déstabilisant, Radelpha semblait perdre de ses proportions et devenir au fil des minutes de plus en plus normale et simple. Elle faisait de moins en moins impression. Joanna et Jenna en venaient même à penser qu'avec un peu d'entraînement, elles aussi pourraient posséder un même ton de voix.

À ce moment, Radelpha appelait le serveur pour demander du pain et de l'eau. Elle avait faim. Elle voulait voir la carte. Quand Radelpha levait la main vers le serveur, Jenna et Joanna voyaient que la peau de son poignet présentait sous un tendon une petite cavité laide et sèche. Jenna et Joanna baissant le regard se mettaient à détailler Radelpha. Celle-ci du coup se vêtait d'habits que Jenna et Joanna jusque-là n'avaient pas pensé à considérer. Ces habits n'étaient pas d'un excellent choix. Ils étaient vieillots. Le cou de Radelpha était garni d'un petit col, qui n'était ni pointu ni rond.

Ces mouvements de pensées des deux écrivaines bien entendu se déroulaient à la vitesse de l'éclair. Mais Radelpha semblait avoir conscience de tout. Elle devait avoir vue sur leurs esprits. Car, avec ce sourire qui réunissait l'autorité la plus ronde et l'amabilité la plus solennelle, elle commençait d'elle-même à raconter son histoire et celle de ses éditions: comment lui était venue à l'esprit, dans un bric-à-brac, l'idée de confectionner des livres. Comment elle avait été frappée par l'économie de cet objet, à la fois concentré, léger et puissant. Comment elle s'était mise en quête de papier. Comment elle en avait acheté des tonnes en Amazonie. Comment elle avait dressé ses algorithmes. Comment son premier livre avait été une histoire à couverture vierge. Comment il avait été vendu dans tous les pays et comment elle avait trouvé des auteurs d'accord de se rallier à son nom. Elle avait élevé ses exigences. Ces exigences à leur suite avaient élevé des murs. Les bâtiments avaient crû et s'étaient multipliés.

Radelpha avait convaincu des éditeurs d'œuvrer à tous ses projets. Des livres étaient nés, ils s'étaient répandus, et Radelpha avait réussi à les conserver tous dans sa mémoire. Le nom de Radelpha, étendu d'abord sur des livres, s'était dressé sur un nombre de plus en plus grand de murs et d'écrans. Ce nom à ce jour s'était maintenu, au milieu des noms d'autres et d'autres maisons.

Radelpha concluait son récit par quelques mots sur sa vocation et sur son métier : ce que Radelpha avait fait avait été fait pour ses livres. Uniquement pour les livres. Ces objets pour Radelpha étaient tout. Les livres étaient pour elle depuis toujours une maison. Bâtir cette maison avait pris du temps. Cette tâche avait demandé énormément d'attention. Radelpha avait dû être patiente. Prendre une chose après l'autre, en commençant depuis le début. Il avait fallu faire des sacrifices. Comment aurait-il été possible de bâtir l'extérieur et l'intérieur en même temps ?

C'était pour cela que Radelpha était venue et qu'elle était présente en cet instant-là dans ce restaurant : Joeanna Fortunaggi les premières avaient pénétré dans les livres. Elles avaient songé à combler le leur. Radelpha l'avait vu et l'avait compris : Joeanna Fortunaggi étaient avec elle, au même endroit. Elles avaient rejoint Radelpha à l'intérieur de son édifice.

73.

Jenna Fortuni jetait un coup d'œil à Joanna Fortaggi. De sa vie elle n'aurait jamais pensé entendre une déclaration pareille. Son cœur battait comme un fou. Joanna haussait les sourcils, parce qu'elle ne voulait pas laisser voir au-dehors qu'elle était touchée.

Radelpha avait beaucoup de choses importantes à communiquer. La maison Radelpha arrivait à présent à un tournant. Les choses ne seraient plus jamais comme elles avaient pu l'être. Radelpha ne voulait pas épiloguer, mais Joeanna Fortunaggi avaient dû comprendre qu'il était révolu, le temps des constructions, de la surface et de la façade. Ses ouvrages, achevés, étaient vides. Radelpha entendait désormais leur donner de la consistance. Ses éditions, sa maison, tous ses livres en avaient besoin. Il était grand temps de prendre place dans leurs volumes. À ce propos, la réunion de Jenna Fortuni et de Joanna Fortaggi dans leur premier livre avait déjà obéi à ce plan. Le livre de Joeanna Fortunaggi s'était posé à l'intérieur de lui-même, comme une première pierre transparente. Il avait été un projet crucial, qui avait été mené avec brio, disait Radelpha en s'interrompant pour se tourner en direction de l'éditeur, qui souriait vaguement en baissant les yeux.

Autre chose encore : depuis quelque temps, Radelpha en avait assez que ses livres soient appréciés seulement par des mots. Des appréciations, Radelpha en recevait des milliers chaque jour. Les murs de la maison en étaient couverts. Radelpha en avait souffert : il y avait toujours trop de qualificatifs dans les discours sur les livres. À l'avenir Radelpha était sûre que les visiteurs n'oseraient plus emporter un seul qualificatif dans un livre. Ils seraient trop occupés à sentir les effets de son contenu sur eux.

Jenna Fortuni voulait renchérir, mais Radelpha ne lui en laissait pas le temps. Elle annonçait que d'autres livres allaient prendre de la substance. Le deuxième livre de Joeanna Fortunaggi en faisait partie. Et quand cela serait terminé, la maison Radelpha, se retournant comme une chenille, donnerait le jour à une nouvelle maison d'édition.

Jenna et Joanna ne comprenaient rien à ces prophéties. Elles ne posaient pas pour autant de questions. Radelpha n'était pas femme à se laisser interrompre.

Tout à coup, Radelpha s'exprimait au sujet de l'autorité. L'autorité avait été nécessaire, parce qu'on ne pouvait pas monter une maison d'édition avec des briques posées toutes à la même hauteur. Il fallait les superposer. Radelpha avait été d'accord de représenter la brique du sommet et de passer tout ce temps au faîte. Elle avait donné une direction à l'édifice. Elle avait élevé la charpente. Elle avait soutenu le toit.

Ce temps cependant était révolu. Le livre était descellé. Joeanna Fortunaggi l'avaient montré. Bientôt le livre serait habité. Radelpha ne pouvait que remercier Joeanna Fortunaggi. Elle ne pouvait que se lever et elle ne pouvait que se retirer. De son côté, elle en avait fini. En même temps que ces mots étaient prononcés, Radelpha en accomplissait les gestes. Elle était debout et elle enfilait son manteau.

Dans ce mouvement, Radelpha était vue par Jenna et par Joanna dans une brume teintée de couleur. Le phénomène ne pouvait pas s'expliquer. Jenna et Joanna regardaient autour d'elles. Il n'y avait aucune lampe à proximité. Et cette brume n'était pas un rêve : Jenna Fortuni et Joanna Fortaggi pouvaient voir dans le miroir les yeux ahuris du serveur qui venait justement d'entrer et qui raccompagnait à présent Radelpha respectueusement à la porte.

74.

Alors qu'elles vivaient ces moments extraordinaires et que Radelpha prenait congé d'elles, les écrivaines avaient dû se retenir d'être distraites par un microphénomène se déroulant tout à côté de Radelpha. Tout le temps que Radelpha avait parlé, en effet, l'éditeur à ses côtés avait opéré une transformation. Sa personne s'était modifiée à toute vitesse. Il avait commencé à être d'une autre façon.

Dès l'arrivée de Radelpha déjà, la matière de l'éditeur s'était ordonnée. Elle avait pris un cours lisse et calme. Et en un éclair, Jenna et Joanna avaient senti avec étonnement que cette matière de l'éditeur en train de changer se rapprochait d'elles. Les petits tranchants et arêtes qui jusqu'à ce jour leur avaient fait peur et les avaient rebutées s'étaient fondus et unis comme des brins d'herbe dans un champ vu d'avion. Jenna et Joanna avaient pris de la hauteur. Elles voyaient leur éditeur autrement. Elles embrassaient plus vastement ce qui était sa personne. Et avec cela, la compréhension facile et simple que c'était pour leur bien que leur éditeur était présent. Et aussi, qu'il n'avait pas de pouvoir sur elles. Il n'était pas une menace. Joanna, Jenna et l'éditeur travaillaient main dans la main.

Les images des ailes et des papillons s'étaient imposées aussi devant les yeux de Jenna et de Joanna, et avec elles la compréhension que tout le travail que l'éditeur faisait était pour le mieux.

Cette découverte était renversante. Jenna se demandait même comment elle avait pu voir son éditeur comme un caïman. Ce caïman tout à coup avait muté. Il avait conservé son expression et ses deux yeux divergents, mais il était devenu évident que ce regard était de sa part une prouesse qu'il accomplissait pour accompagner et pour guider Jenna et Joanna, et non pour les réprimer.

Bien sûr, en y réfléchissant, les deux romancières auraient pu dire que les choses par le passé avaient semblé parfois brutales et forcées. Mais il leur suffisait de penser à l'envol léger des ailes sur toutes les pages de leur livre et à tous les papillons fortuits qui s'y étaient réalisés, pour comprendre ce que l'éditeur de Radelpha avait apporté. Leur visage réuni n'était-il pas bienfaisant ? Et le papillon de la fin, en ses écailles incandescentes, n'était-il pas une expression d'union et de liberté ?

Sur ces entrefaites et alors que les deux écrivaines comme en un feu d'artifice faisaient toutes ces découvertes, leur éditeur sortant de son long silence se mettait de nouveau à parler. Puisque Radelpha s'en était allée, l'éditeur estimait qu'il était de son devoir de clarifier certaines choses et de compléter ses déclarations. En effet, et comme Radelpha le leur avait dit, le premier livre de Joeanna Fortunaggi n'avait pas été conçu de la même manière que les autres livres. Pour Radelpha, il avait constitué le premier exemplaire d'une collection que l'éditeur espérait sans fin.

Joeanna Fortunaggi, en tant qu'exemple, étaient idéales. Elles pouvaient concrétiser une auteure, être réunies en un seul livre tout en conservant deux caractères et deux vies et deux fois deux noms. Joeanna Fortunaggi incarnaient ainsi la quintessence de ce que pouvait être une auteure : une, double, quadruple, variable, mais en tout point fidèle à tout cela. Et aussi, imprévisible, souriait finement l'éditeur en faisant ainsi allusion, Jenna et Joanna le comprenaient, à l'initiative qu'elles avaient eue d'entrer toutes seules dans les livres.

L'éditeur revenait aussi sur les explications de Radelpha : l'architecture de la maison, après toutes ces années, était enfin solide. Les éditions Radelpha pouvaient passer à un autre plan. Elles pouvaient enfin animer la matière des ouvrages, demeurée jusque-là inerte.

Avant de s'en aller, l'éditeur désirait apporter un dernier éclaircissement. Il se mettait à parler des papillons et des ailes à l'intérieur de leur premier livre. Jenna et Joanna étaient bluffées de l'entendre décrire et commenter. L'éditeur était capable de détailler de mémoire les illustrations, de sorte que Jenna et Joanna ne pouvaient avoir aucun doute : ces ailes et ces papillons, l'éditeur les connaissait par cœur. Rien de ce qui avait été mis dans ce livre ne lui était étranger.

L'éditeur demandait à Joeanna Fortunaggi si elles avaient remarqué que le nombre de paires d'ailes semblant s'apparier pour former des papillons augmentait au fur et à mesure des pages. Jenna et Joanna disaient oui. À cette réponse, le visage de leur éditeur s'éclairait. Et c'était avec satisfaction qu'il leur en donnait enfin la clé : la réunion de ces quatre ailes était la volonté de Radelpha, aux yeux de laquelle il avait été nécessaire que soit signifiée la nature deux fois double de Joeanna Fortunaggi. Les quatre ailes du papillon où étaient inscrits leurs visages exprimant cet état d'être et de fait :

Jenna et Joanna. Fortuni et Fortaggi. En ce sens, on pouvait ainsi affirmer que le papillon luminescent de la fin avait pour nom scientifique : Joeanna Fortunaggi.

Sur ces mots et sans prendre garde aux regards confus et flattés de sa superauteure, l'éditeur les saluait et disparaissait.

75.

Au lendemain de leur rencontre avec Radelpha, Joanna et Jenna avaient commencé à écrire un livre. Ce livre n'était pas le huitième de Joanna Fortaggi ou le cinquième de Jenna Fortuni, il était le premier pour toutes les deux. Leur tâche avait été facilitée par le fait que chacune sentait les mots apparaître en l'autre écrivaine avant que celle-ci les ait prononcés. Jenna et Joanna avaient travaillé ainsi d'autant plus vite. Jenna hésitante avait proposé les premiers mots. Joanna, les transcrivant sur son écran, leur en avait ajouté quelques autres. Et, les assemblant, les deux écrivaines s'étaient aperçues que d'autres mots compléteraient judicieusement cette phrase. Elles avaient progressé ainsi, à grande vitesse.

Régulièrement, Joanna relisait à haute voix pour Jenna les mots qu'elles avaient mis ensemble. Elles étaient surprises de constater que les mots une fois réunis avaient une influence autour d'eux: quelquefois c'était pour le mieux, mais quelquefois aussi ils se nuisaient et il n'y avait pas d'autre solution que de déplacer le mot discordant. Ce travail était passionnant.

Il avait été complètement fou pour toutes les deux de réaliser qu'elles étaient en train de composer leur prochain livre avec des mots sortant directement de leurs esprits. Quelques semaines auparavant, elles n'auraient pas cru que c'était possible et elles auraient encore été tentées d'utiliser des compilations. Mais les mots, le prouvant, étaient là. Ils étaient lisibles noirs sur blanc sur leurs écrans. Nés sans qu'elles les aient vus venir dans leurs esprits, ils entraient directement dans la page qui devait devenir un livre.

La question la plus mystérieuse était bien sûr la provenance de ces mots. Le petit laps de temps où l'un d'entre eux apparaissait était impossible à saisir. Les consciences de Jenna et de Joanna dans les premiers instants avaient semblé neutres et vides. Devant leurs écrans, les deux écrivaines s'étaient demandé quels mots elles pourraient trouver. Quand soudain, plus vif qu'un battement de cils, un mot entier était là, qui amenait avec lui une ribambelle d'autres mots. Jenna et Joanna les avaient saisis, et d'autres mots encore s'étaient bousculés jusqu'à elles.

Le hasard avait voulu que la composition de ce premier livre ait débuté dans l'appartement de Jenna Fortuni. Les écrivaines le premier jour s'étaient mises à écrire au salon sur leurs écrans. Dans leur hâte, elles n'avaient même pas eu la présence d'esprit de monter l'escalier pour s'installer confortablement dans le bureau conjoint de Jenna. À la fin de cette première matinée, le mari de Jenna avait passé la tête par la porte de son bureau. Il leur avait jeté un coup d'œil. Avant de refermer la porte, il avait demandé à sa femme si tout allait bien. Il n'avait pas formulé d'autres questions. Sans doute avait-il perçu que quelque chose d'exceptionnel était en train de se jouer dans son salon. Ses antennes étaient développées et archi-fines.

L'oiseau de Jenna aussi s'était montré réceptif à ces mouvements. Sentant qu'il manquait d'attention ou qu'il se préparait quelque chose, il s'était mis à prendre son bain à cette heure inhabituelle. Jenna de loin l'avait rabroué. L'oiseau n'avait pas réagi et des flaques s'étaient rapidement formées sur le sol autour de sa cage. Les sifflements de l'oiseau au bain avaient passablement dérangé les écrivaines. La baignoire une fois vide, l'oiseau s'était mis à fouiller dans sa mangeoire avec son bec jusqu'à ce que les graines à leur tour aient été projetées autour de la cage, avec un dégagement de duvets. Agacée, Jenna avait dû laisser l'écriture de côté pour s'occuper de l'oiseau. Elle avait recouvert sa cage d'un tissu. Au moment où elle le faisait l'oiseau interrompant ses sifflements avait prononcé un mot, qui était le premier pour elle. Le tissu noir soulevé par Jenna s'abattait sur sa cage et l'oiseau, immobilisant son regard et roulant le *r*, s'exclamait : l'écrrrrrrivain !

Le tissu retombé sur sa cage, l'oiseau avait été instantanément plongé dans ce drôle d'engourdissement qui faisait toujours penser à Jenna à une mise en veille. Ce qui se passait pour lui au moment où le tissu noir s'abattait sur sa cage était difficile à savoir. Sa vie et ses mouvements étaient suspendus, aussi facilement que si Jenna avait appuyé sur un bouton.

76.

Il était à présent de notoriété publique que c'était pour mettre la dernière main à leur livre que Joeanna Fortunaggi avaient presque disparu des écrans. Les deux écrivaines s'étaient faites plus discrètes. Elles s'étaient retirées quelque part et étaient demeurées invisibles, bien que les télévisions aient profité de leur absence pour diffuser un ou deux documentaires sur leurs succès. Comme il était attendu, plusieurs chaînes s'étaient battues pour obtenir l'exclusivité de l'apparition du prochain livre de Joeanna Fortunaggi. Et comme de bien entendu la chaîne qui l'avait emporté était celle qui pouvait offrir le plus grand plateau, la plus grande audience et l'animateur le plus souple et rebondissant.

Quant à ce qui concernait l'objet-livre, aucune des télévisions n'avait réussi à en percer le secret. Certains producteurs avaient cru pouvoir affirmer que l'ouvrage serait grand et généreux, de couleur moutarde ou confiture de myrtilles. Mais rien de cela n'était certain. Ces mêmes producteurs avaient été plutôt étonnés que Joeanna Fortunaggi aient accepté de révéler aussi facilement la date et l'heure de l'apparition. Le suspens en était presque tué. Cette révélation pourtant était inévitable, du moment que l'apparition était programmée pour une émission en direct.

En réalité, le nouveau livre de Joeanna Fortunaggi était depuis longtemps terminé. Jenna et Joanna étaient simplement restées à la maison. Après toutes ces émotions, elles avaient eu besoin de ce prétexte pour souffler et prendre quelques mois de vacances. Le raz-de-marée qui n'allait pas manquer d'accompagner la sortie de leur prochain livre allait bien assez tôt les rattraper.

Jenna Fortuni, chez elle, s'occupait de son intérieur. C'était nouveau pour elle. Pour la première fois depuis des années, elle faisait le ménage à fond. Elle trouvait un certain amusement à manier tous ces instruments et tous ces produits. Son mari sortait plus volontiers de son bureau, pour la regarder. Il disait que toute cette activité stimulait ses neurones. Quelquefois en fin de journée, Éden Fels demandait à Jenna de l'emmener au restaurant. Ensuite il voulait aller au zoo-caresses. Puis il voulait aller dans un Restoroute et ensuite il voulait rentrer à la maison. Le mari de Jenna prévoyait toujours des programmes chargés. Quand il sortait, il avait peur de s'ennuyer. Pourtant il y avait toujours son écran, sur lequel il pouvait à tout moment pianoter, jouer, se relaxer, discuter, mesurer la température, composer, voyager, se promener et se divertir.

Un après-midi après la sieste, Jenna et son mari dans leur chambre étaient restés en arrêt devant les stickers de Jack et de Pam collés sur les vitres. Il y avait bien longtemps que Jenna et son mari ne les avaient plus considérés. Ces deux gamins étaient toujours aussi rieurs et moqueurs. Ils n'avaient pas varié d'une tache de rousseur. Leurs joues étaient toujours rondes et rouges. Leurs fronts surmontés des mêmes impertinents épis de cheveux. Leurs sourires étaient toujours agaçants et victorieux.

Jack et Pam ne seraient jamais rien de plus que ce qu'ils montraient, Jenna et son mari le savaient trop bien.

Jack et Pam ne grandiraient pas. Ils seraient toujours deux galopins qui seraient toujours incapables de dire seulement maman ou papa. Les avantages que Jenna et son mari avaient vus à l'acquisition de Jack et de Pam s'étaient à présent retournés contre les stickers. Certes, ils ne faisaient pas de bruit et on pouvait travailler quand ils se trouvaient dans l'appartement. Certes, ils ne mangeaient et ne buvaient pas et ne coûtaient pas d'argent. L'appartement était toujours bien rangé et il n'y avait pas besoin de le repeindre à cause de petites paumes imprimées sur les parois crème du salon. Jenna et son mari le dimanche pouvaient faire la grasse matinée. Leurs nuits et leurs jours étaient calmes. Leurs yeux n'étaient pas cernés. Ils avaient l'air jeunes et bien portants.

Mais le prix de tout cela était cher : Jack et Pam n'étaient jamais non plus rentrés de l'école en faisant résonner leurs babillages dans la cuisine. Le cœur de Jenna et de son mari n'avait jamais bondi de joie en les entendant. Il n'avait jamais non plus explosé et fondu dans leur poitrine. Jenna n'avait jamais pensé en les regardant que ces enfants porteraient le souvenir d'elle quand elle ne serait plus. Elle n'avait jamais eu de révélation subite sur elle-même en se regardant dans leurs miroirs. Ce que Jenna avait appris toute seule, elle n'avait jamais pu le leur enseigner. Les cerveaux de Jack et de Pam étaient plats. Jack et Pam avaient toujours les mêmes airs effrontés et niais. Ils étaient sûrement nuls à l'école. Jenna n'avait jamais pu leur raconter des histoires ni couper les ongles de leurs mignons petits pieds. Jack et Pam jour et nuit portaient des godillots ronds. Les bras de Jack et de Pam n'avaient jamais orné le cou de Jenna de minces guirlandes de chair. Et leurs cous à eux n'avaient jamais senti le poney ou le biscuit à la vanille. L'odeur de Jack et de Pam, c'était la colle.

Jenna et son mari poussaient une expiration. Ils se consultaient du regard : tous deux étaient arrivés au bout de leur raisonnement. Leurs conclusions étaient identiques : le temps de Jack et de Pam était révolu. Dans un élan, et avec une légère précipitation, ils prenaient la décision de se débarrasser de leurs stickers.

Les deux stickers avaient été collés à la glu. S'en débarrasser n'était pas si simple. La colle adhérant aux vitres laissait de larges bavures beiges. Pour en venir à bout, Jenna et son mari les attaquaient avec des grattoirs. Le mari de Jenna, tout en s'activant, rappelait à sa femme que c'était lui qui avait étalé la glu. Ce grand jour était encore dans sa mémoire. Jenna s'en souvenait bien : le sentiment qui l'avait étreinte, quand elle avait vu Jack et Pam collés contre sa fenêtre, avait été profond et puissant. L'appartement s'était retrouvé simultanément ouvert et rempli. Les choses étaient pourtant toujours à leur place, mais tout avait semblé mis à sac, sens dessus dessous.

Ce n'était quand même pas si facilement que l'on pouvait gratter et décoller des enfants restés collés des années. À la fin de l'après-midi, les vitres n'étaient pas encore complètement propres. Malgré les grattements de Jenna et de son mari, de petites traces subsistaient à certains endroits, qui disaient qu'à cette place avait adhéré un enfant-sticker.

Ces endroits accrochaient le regard de Jenna le soir, quand elle se mettait au lit. Un fragment microscopique de la tête de Jack était resté à sa place. Ce n'était qu'un confetti de joue, mais il suffisait à rappeler le regard et l'air narquois de Jack. Les traces semblaient indélébiles. Jenna repensait à ses stickers. Jack et Pam étaient toujours là.

77.

Un après-midi, Joanna Fortaggi paressait au salon. C'était un de ces après-midi ambrés que Joanna aimait tant. Elle avait toujours adoré l'automne. Sans doute parce que cette saison, comme elle, mélangeait le frais et le chaud. N'avait-elle pas donné à son fils aîné le prénom ravissant et convaincant d'Oktober, bien qu'il soit né en juillet?

Oktober justement entrait au salon. Il ne voyait pas Joanna. Joanna était à demi allongée sur le canapé, les pieds posés sur une chaise. En cachette, pour ne pas se faire voir des enfants, elle était en train de feuilleter son prochain livre, qu'elle tenait dissimulé derrière son écran. Le livre lui était parvenu la veille, dans une caisse en bois, par porteurs spéciaux. Pour une fois la caisse n'était pas trop grande. Joanna n'avait pas eu besoin de fouiller la paille pour trouver son livre.

Joanna reposant son dispositif suivait son fils aîné du regard. À cause de cette puce qu'il portait sous la peau, elle ressentait désormais un vague malaise en sa présence. Bon, ce n'était rien de grave. Une plaque infime, une surface dure comme un petit pois dans son jeune être en perpétuelle révolution. Le fils aîné de Joanna traversait le salon. Il allait tout droit vers le coin sud-ouest. Oktober était occupé par l'idée d'une bêtise,

Joanna le voyait à la façon qu'il avait de se mordre l'intérieur de la joue. Cette morsure dissimulée, Joanna la connaissait chez son fils depuis qu'il était petit. Le signe était transparent: son fils aîné était en train de faire quelque chose d'interdit. Joanna le lisait aussi dans sa matière et à la façon qu'il avait de se couler entre les meubles sans vouloir faire de bruit.

Oktober s'asseyait à une table. Le soleil de l'automne auréolait ses cheveux gras d'une lumière intense. Les stores se mettaient en mouvement et descendaient sans bruit jusqu'à mi-fenêtre. Joanna en déduisait que c'était avec sa pensée que son fils avait transmis cet ordre à sa puce. Quelques minutes s'écoulaient. Son fils ne faisait pas de bruit. Cachée au creux du canapé, Joanna ne voyait que son dos. Elle supposait logiquement qu'il était en train de lire un livre. Cela n'aurait rien eu d'étonnant. Tous ces derniers mois, et malgré les avertissements de Joanna, son fils aîné avait passé son temps plongé dans de vieux ouvrages qui tombaient littéralement en morceaux. Ces livres en général n'avaient plus de couverture. Le fils de Joanna avait dû les trouver dans un vide-grenier ou bien c'étaient ses amis qui les avaient dénichés dans des brocantes. Combien de fois Joanna en rentrant n'avait-elle aperçu de son fils aîné au-dessus d'un livre que le sommet de son crâne, qui avait d'ailleurs toujours besoin d'un shampooing? Elle avait rarement croisé son regard. En ces occasions, en même temps qu'elle lui conseillait de se laver les cheveux, Joanna l'avait toujours averti qu'il allait lui pousser des yeux d'escargot.

Évidemment, à présent, l'opinion de Joanna sur les livres était différente. Elle avait changé du tout au tout. Joanna était entrée dans des livres. Elle en avait même écrit un pour de bon. Ce revirement était embarrassant.

Comment l'expliquer à ses enfants? Joanna n'avait pas encore réussi à trouver les bons mots, mais elle essayait de leur faire comprendre par des gestes son changement d'opinion: elle ne réprimandait plus son fils quand elle le surprenait dans un ouvrage; depuis quelques jours, elle lui passait même gentiment la main dans les cheveux. Si ceux-ci étaient propres, naturellement.

Le dos d'Oktober était toujours immobile. Joanna ne se décidait pas à se manifester. Plusieurs minutes passaient encore, dans un silence absolu. Joanna n'entendait même pas un bruit de pages ou de papier. Elle était en train de se demander si son fils n'était pas plutôt occupé avec son écran, quand Oktober se levait d'un bond et sortait en courant de la pièce. À peine était-il sorti que Joanna, se levant aussi d'un bond, se précipitait dans le coin sud-ouest. Elle était devenue curieuse de savoir dans quel genre d'ouvrages pouvait se plonger son fils. En quelques rapides enjambées, elle rejoignait la chaise où celui-ci avait été assis.

Joanna ne s'était pas trompée. Le rectangle d'un livre se découpait sur la table. Un drôle de fascicule était sur le bois. Joanna avait peu de temps. Elle le saisissait. La première surprise pour elle au moment de saisir le livre était qu'il ne venait pas d'une maison d'édition. Le livre était bricolé. Sa couverture était en carton et ce carton était à peine plus épais que du papier. L'apparence du livre pour tout dire était lamentable. Il ressemblait à un jouet. Joanna reconnaissait un carton d'emballage, comme il y en avait autour des paquets de framboises. Sur la couverture, au-dessus du titre, le nom de l'auteur avait été tracé à la main, dans une écriture malhabile qui essayait d'être neutre. Joanna le lisant était traversée par une flèche. L'auteur de ce fascicule était: Oktober Fortaggi.

Les yeux de Joanna s'emplissaient de larmes. Elle était touchée que son fils ait pensé en même temps qu'elle à écrire un livre, et qu'il ait choisi son nom plutôt que celui de son mari. Elle était bouleversée qu'il ait commencé à écrire son livre à la main. C'était tellement romantique. C'était tellement innocent. Joanna était ramenée très loin en arrière, au temps où elle s'était mise à rêver de devenir écrivaine. Ces lettres naïves tracées à la force du poignet étaient désarmantes. Elles semblaient presque palpiter. Un stylo gisant sur la table disait que le texte n'était pas fini.

Prenant garde à ne pas la tacher avec une larme, Joanna tournait délicatement la couverture du livre. Oktober avait fait des trous dans les pages et il les avait réunies avec de la ficelle. Joanna avait conscience que son geste était grave. Cependant, sans hésiter, elle se lançait dans la première ligne.

78.

Dès son entrée dans ce livre, il semblait à Joanna qu'elle s'avançait dans un autre univers. L'air à respirer y était rare et ses contours n'étaient pas définis avec netteté. Les distances, les espaces étaient flous. Les objets et les personnages apparaissaient dans ce flou comme s'ils avaient toujours été là. Ils n'étaient pas expliqués. Ils émergeaient d'une brume. Pour autant que Joanna ait réussi à comprendre ce qu'elle déchiffrait, il s'agissait d'un récit dont le centre était un jeune homme, accompagné de particules venant des écrans. Le texte était plein de trous. Il était maladroit. Il présentait des raccourcis incompréhensibles. Oktober ne semblait pas avoir compris ce qu'il fallait faire dans un livre. Joanna était souvent livrée à ses propres spéculations. Mais elle était soulagée de découvrir qu'il ne s'agissait pas de compilations.

Le jeune homme était présent dans chacune des scènes. Il n'y avait pratiquement pas une ligne où il n'était pas en action, en train d'accomplir des exploits. Ce héros exerçait des pouvoirs magiques sur les objets. L'univers lui obéissait. Il régissait les événements à la force de son esprit. Si l'un d'entre eux lui déplaisait, il choisissait simplement de l'éliminer. Ce jeune homme était seul. Il n'avait même pas d'adversaires. Cependant, à la sixième page, Joanna voyait apparaître ce que tout au fond d'elle elle avait attendu : un personnage féminin, qui se trouvait dans la proximité du garçon. Ce personnage était moins important. Il était beaucoup plus âgé que le garçon et, bien que le mot ne soit jamais écrit, son rôle et son attitude faisaient penser à une mère. Joanna parcourait ces lignes le cœur battant.

Le personnage vieillissant de la mère était peu visible. Quand c'était le cas, Joanna était piquée de noter qu'elle était accompagnée de vilains adjectifs. Elle restait à moitié plongée dans la brume. Elle avait commis des actions pour lesquelles le héros aurait pu facilement la chasser. Quelquefois, c'était la mère qui s'en prenait au garçon. Celui-ci alors se lançait dans des imprécations. Ces suites de mots pouvaient couvrir beaucoup de lignes. Les particules issues des écrans s'assemblaient pour la faire partir. Ces scènes n'avaient pas de développement : sans transition et sans motif, le garçon et la mère de nouveau étaient proches et leur alliance n'était plus remise en question.

La femme apparaissait dans une autre scène. Il s'agissait pour le garçon de lui transmettre un pouvoir magique. Le texte ne disait pas ce que c'était, mais il était clair que ce personnage en était dépourvu. Une autre femme apparaissait ensuite dans le livre. Ses adjectifs à elle étaient fiers et gonflés. Joanna ne comprenait plus. Il s'agissait peut-être d'un autre chapitre. Le texte n'allait pas plus loin. Le fils de Joanna à cet endroit avait dû se trouver en panne de forces ou d'inspiration, ou bien c'était un message qui avait interrompu son travail.

Oktober pouvait entrer d'une seconde à l'autre. Joanna reposait le fascicule et s'éloignait de la table. Mais, se ravisant presque immédiatement, elle revenait en arrière et se saisissait du livre de son fils. Elle se rendait ensuite à pas rapides vers le canapé et, plongeant sa main sous un coussin, elle en ressortait son propre livre. Cachant contre elle les deux livres, Joanna allait jusqu'à la bibliothèque. Elle en ouvrait la vitrine et les installait debout, côte à côte, leurs deux couvertures bien de face, bien visibles. La vitrine une fois refermée, elle reculait pour observer cette installation.

Joanna était satisfaite de son effet. Le livre bricolé d'Oktober et l'élégant livre de Joeanna Fortunaggi se faisaient face. Ils se touchaient presque, formant un angle en retrait dans lequel les deux ouvrages avaient l'air de se congratuler et de s'épauler, avec une certaine affection. Oui, il régnait une certaine camaraderie entre ces deux livres. Ils étaient comme des copains. Ils s'encourageaient mutuellement. Ils s'amusaient bien.

Ce n'était pas un hasard si Joanna avait installé les livres sur ce rayonnage. Elle avait choisi le rayonnage du milieu, à peu près à la hauteur des yeux de son fils. Oktober n'était pas très grand. Et il était très curieux.

79.

Dans les heures précédant l'émission où devait apparaître leur nouveau livre, Jenna Fortuni et Joanna Fortaggi avaient reçu une quantité invraisemblable de messages. Jenna s'était même sentie submergée. Elle ne s'était jamais rendu compte qu'elle connaissait autant d'amis. Sans le remarquer, Jenna ces derniers temps en avait fait la connaissance de plusieurs centaines. Et elle avait reçu presque autant d'invités sur son balcon pour ses barbecues et autres fêtes d'anniversaires.

Tous ces amis de catalogue à présent se manifestaient. Ils le faisaient en bloc, ponctuellement, à la même heure, tous ensemble. Ils avaient suivi la même logique. Ils obéissaient à la même impulsion. Ces amis de catalogue avaient peu ou prou les mêmes réactions. Leurs messages portaient les mêmes textes, à quelques virgules ou points près. En tous les cas, la tonalité générale était unanime: les amis avaient tous choisi la variante « sincères félicitations ».

Le problème pour Jenna était de mettre des visages sur ces noms. Elle ne parvenait plus à se souvenir de Carabinette, de Vanator, de Koala95, de Petit-moulin-dans-la-brise ou de Minimax371. Par bonheur, le mari de Jenna en cette occasion s'était révélé stupéfiant. Il avait été d'une immense aide. Non seulement il s'était montré capable de mettre un visage sur chacun de ces noms et de rappeler à Jenna en deux mots sa caractéristique, mais il lui avait de plus offert de répondre à ces messages à sa place. Et les mots qu'il avait écrits étaient délicats et charmants. Cela pouvait paraître étonnant, mais le mari de Jenna avait posé un œil clair, précis et affûté sur les amis de catalogue. Ce n'était pas pour rien qu'il était devenu une pointure mondiale dans sa profession. Il avait des capacités de caméléon et, en tant que tel, une curiosité insatiable pour tout ce qui pouvait de près ou de loin constituer les métamorphoses de la vie. Et tout cela sans même mettre le pied hors de son bureau conjoint.

Joanna Fortaggi avait aussi été submergée de messages et d'appels. Mais elle n'avait pas perdu pied. Les messages provenaient des quatre coins du globe. Les amies du monde entier étaient au courant de l'apparition de son prochain livre. Elles réagissaient aussi toutes à la même minute. Elles voulaient faire part de leur satisfaction. Joanna devait leur promettre de faire traduire le livre dans chacune de leurs langues, dès le lendemain. Les amies du monde entier se réjouissaient. Bien entendu ce n'était que pure politesse. Joanna Fortaggi le savait bien: son livre s'envolerait tout droit vers les bibliothèques de ces amies, pour y dormir cent ans. Ces amies-là n'étaient jamais allées une seconde dans un livre. Et elles n'avaient sûrement pas l'intention d'y entrer. Elles devaient à peine savoir comment manier un tel objet.

L'amie chinoise de Joanna était apparue bien plus tard sur son écran, peu de temps avant l'émission. Elle disait qu'elle était très occupée. Son travail prenait tout son temps. Dans le ronronnement de son vapeur-cuiseur automatique, elle expliquait à Joanna que c'était chez elle la pause de la mi-journée. Elle faisait cuire des petits pains.

Sur l'écran, l'amie chinoise se remettait à parler au milieu d'une réponse de Joanna. Le son était déficient. Joanna avait tout de même réussi à attraper quelques mots : mais nous avons souvent toujours très heureux de cette communication ! disait son amie. Je vous souhaite la joie de jouer ! Je vous souhaite un heureux, heureux ! L'amie souriait largement et les fentes de ses yeux s'incurvaient en deux petites lunes. Le cuiseur ayant émis une sonnerie, elle en détachait la partie du haut pour en sortir dix petits pains humides et blancs comme des éponges, qu'elle commentait avec satisfaction.

80.

Au soir de l'apparition de leur nouveau livre, quand Jenna Fortuni et Joanna Fortaggi s'installaient sur le plateau, tout leur semblait différent. Les lieux avaient été entièrement repensés et reconstruits durant leur absence. Jenna et Joanna n'avaient jamais observé avec autant d'attention les studios. Les sols et les parois étaient d'une autre couleur et matière, et les techniciens actionnaient des éléments qui paraissaient nouveaux. Leurs caméras étaient moins robustes. De grosses machines carrées qu'elles avaient été, elles étaient devenues des trousses élégantes et souples, gainées de cuir, qui coulissaient à toute vitesse sur de longs vérins.

L'animatrice qui venait à leur rencontre était, comme sempiternellement, tout sourire. L'heure de l'émission n'avait pas encore sonné et elle n'était pas encore entièrement costumée. Ses cheveux pendouillaient un peu. À leur entrée sur le plateau, elle saluait Jenna et Joanna chaleureusement en étouffant leur main l'une après l'autre entre ses deux paumes. Ses paumes étaient fortes et moites.

Cette animatrice était l'une des trois animateurs que la chaîne avait engagés en catastrophe au décès de son animateur super-réputé. L'animateur caoutchouteux avait en effet rendu l'âme. Celui-là même dont la peau du visage était d'une drôle de texture et dont le monde des téléspectateurs se demandait s'il était un faike, s'était effacé des studios. Il en avait été gommé comme par effets spéciaux. Par cette mort, l'animateur avait apporté personnellement sa réponse : il avait été bien vivant.

L'animateur caoutchouteux avait eu de longues décennies le vent en poupe. Il avait régné sur les studios. Il avait piégé des milliers de stars et confondu des générations d'écrivains. Son visage était un endroit connu. De tout temps et aussi loin que pouvait remonter une mémoire hachée de vieux téléspectateur, cet animateur avait donné, redonné, donné et redonné ce qui au premier regard avait déjà été vu : une tête grande et rectangulaire ; de larges étendues de peau, offrant aux caméras l'aubaine de leurs boulevards lisses ; une texture particulière, semblable à du caoutchouc. Cette immutabilité fatalement avait comporté son revers. Au fil des ans, le visage archi-vu de l'animateur caoutchouteux était devenu irritant. Il avait suscité de l'impatience : il était énervant que l'animateur caoutchouteux ne soit rien de plus que trois mimiques, un clin d'œil et un rectangle de peau. Cette surface ne pouvait-elle pas varier ? Ce front, ces joues, ces lèvres ne pouvaient-ils pas se transformer ? Qu'y avait-il à l'arrière de cette tête ?

C'était sûrement à cause de ce genre d'idées que le décès de l'animateur caoutchouteux avait provoqué une telle frénésie. Son décès offrait enfin l'occasion de le voir sous un autre jour. La chaîne, ayant capté cet intérêt, avait annoncé que la dépouille de l'animateur serait exposée vingt-quatre heures à l'antenne. De cette façon, les caméras fixées sur lui pouvaient faire voir à tous combien le visage de l'animateur en cette variation était fascinant. Et effectivement, le visage de l'animateur montré par les caméras sur son lit de mort était plus terne. Sa coiffure n'avait pas changé. La raie de ses cheveux était toujours droite et blanche. Ses joues avaient aussi conservé leur texture bizarre. Mais son regard sous les paupières avait disparu. Ses minces orbites étaient vides. L'animateur était sans défense. Il laissait voir que sa bouche avait un pli morne. Sans son sourire, cette bouche n'était plus à lui. L'animateur était boudeur. S'étant absenté dans la mort, il avait abandonné aux yeux de tous l'intérieur de son masque.

Les téléspectateurs étaient saisis et ravis. Mais la question demeurait encore : cet animateur avait-il été un faike ? Une dépouille après tout ne prouvait rien. Les téléspectateurs avaient le droit d'être mis au courant. Ils voulaient savoir ce qui se cachait dans ce masque, ces yeux vides, cette bouche qui ne ressemblait plus à rien et dans ces plis de caoutchouc gris.

La pression était montée. Elle avait été telle que la chaîne au bout du compte avait dû céder. Au terme d'un court bras de fer et à la suite de chutes substantielles de l'audience, elle avait consenti à découvrir l'animateur aux regards du monde. Elle avait ordonné que son mystère soit percé. Les caméras s'étaient remises à tourner et sous leur contrôle des spécialistes dûment gantés avaient procédé à une autopsie. De la sorte, les secrets que l'animateur gardait pour lui avaient pu être enfin diffusés.

Le rapport de l'autopsie était truffé de petites surprises. Les téléspectateurs avaient été impressionnés du nombre d'informations qui leur avaient été dérobées. Et encore plus satisfaisant : des éléments avaient pu être découverts que l'animateur lui-même n'avait pas pu soupçonner. Un stade précoce d'usure, par exemple, avait été mis au jour dans son ossature. Les amygdales de l'animateur étaient grosses. Au cours de l'examen d'autopsie, un polype aussi s'était révélé dans son intestin. Les spécialistes avaient affirmé que cette tumeur n'était pas maligne.

Dans son rapport définitif, la chaîne avait annoncé que les fonctions reproductrices de l'animateur avaient été dans la norme. Son cerveau avait été découpé. Il n'avait rien révélé de notable. Le cœur de l'animateur aux dires de la chaîne était rouge sang. Il avait pesé cent vingt grammes. Son foie était décrit violet comme un foie de veau. Ses poumons étaient apparus parfaitement propres et roses. Ses artères étaient impeccables. Toujours selon le rapport de la chaîne, l'animateur avait porté plusieurs dents en or ainsi qu'une prothèse, appelée bridge. Son visage à trois reprises avait été démonté. En outre, ce visage s'était révélé entièrement doublé de polyester.

81.

Les producteurs n'avaient pas économisé leurs effets. Le décor du plateau explosait de couleurs. Jenna pouvait deviner que c'était parce que les producteurs n'avaient pas réussi à récolter assez d'indices sur la couleur du livre à apparaître. La preuve à cela était le superbe arc-en-ciel qui traversait de part en part le studio. Cet arc-en-ciel était tout simplement éblouissant. Il était plus large et net que tous les arcs-en-ciel que Jenna avait déjà vus dans son existence. Dans sa rêverie et son ennui, elle imaginait qu'elle montait dessus pour glisser le long de sa courbe et atterrir de l'autre côté. De l'autre côté, c'était pile à la place de Larsen Frol.

Il y avait tellement d'invités que Joanna Fortaggi et Jenna Fortuni risquaient de temps en temps d'oublier qu'elles se trouvaient sur un plateau de télévision. Elles avaient plutôt l'impression d'assister à une fête ou à une kermesse. Les deux écrivaines étaient assises sur le canapé du centre. Ce n'était pas une très bonne place, dans la mesure où la plus grande des animateurs restait plantée devant elles pour passer la parole à droite ou à gauche et faire le lien entre les canapés.

Les trois animateurs faisaient du bon boulot. Ils avaient été sélectionnés pour leurs silhouettes qui, côte à côte, pouvaient former une pyramide, l'animatrice du milieu étant un peu plus grande que ses deux collègues. Mais ce soir-là, les animateurs n'avaient pas le temps de songer à figurer des pyramides. Chacun s'activait dans sa zone, et ils avaient fort à faire pour contenir la masse de leurs invités, répartis sur dix canapés.

Durant l'absence de Jenna et de Joanna, les émissions aussi avaient un peu changé. La mode du parler-mot, qui était encore très en vogue au moment où elles s'étaient éloignées des studios, avait bizarrement fait faillite. Plus personne à présent ne s'exprimait d'un seul mot. Ou alors de vieux animateurs nostalgiques des machines à mots, qui les allumaient lors d'émissions de fin de nuit. Ces émissions n'étaient pas suivies. Les animateurs y fumaient la pipe.

Jenna et Joanna ne connaissaient pas la moitié des stars présentes sur le plateau. Il s'agissait pour la plupart de stars ayant émergé alors que Jenna et Joanna étaient en train d'entrer dans les livres. Toutes deux avaient été tellement absorbées par leur aventure qu'elles ne s'étaient pas tenues au courant des actualités. Certains petits acteurs ne pouvaient pas s'empêcher de pouffer et de bavarder derrière leurs mains. Les animateurs devaient sans cesse les rappeler à l'ordre, tout en faisant semblant de conduire attentivement les entretiens. Jenna avait de plus en plus l'impression que ces jeunes écervelés étaient des people. La catégorie des écrivains était aussi représentée. Bien qu'accompagnés de leurs livres, ce n'était pas vraiment pour ceux-ci que les écrivains avaient été conviés, mais bien pour applaudir le nouveau livre de Joeanna Fortunaggi. Qu'y avait-il de plus remarquable qu'un livre salué par la profession ?

Pour passer le temps, Jenna Fortuni examinait les écrivains. Tous sans exception étaient au moins professeur, docteur, spécialiste, neurobiologiste, ou les quatre à la fois. La composition habituelle était respectée : un écrivain reconnu, sur lequel pouvaient reposer solidement les piliers de l'émission. Cet écrivain offrait une valeur sûre. Il était aimable et obéissant. Trois écrivains de moyenne importance, assis à quelque distance. Ceux-ci étaient priés de ne pas monopoliser le crachoir. Il était assez visible que ces écrivains-là avaient été piochés plus ou moins au hasard, en prévision du futur. En l'état de leur production et de la sympathie du public, il n'était encore pas possible de deviner lequel d'entre eux allait percer et devenir éminent. Jenna un peu surprise découvrait parmi eux Maculato Buffalo Walk Hispu Hispi Hey, étalé confortablement sur son canapé. À côté de ce groupe rayonnaient quatre tout nouveaux écrivains, qui avaient récemment fait apparaître leur premier livre et qui allaient vraisemblablement disparaître sans laisser de traces. C'était pour cela que les animateurs n'étaient pas trop attentionnés envers eux. Ils leur passaient la parole avec une sorte de cordialité rude. Jenna Fortuni n'arrivait pas à savoir si c'était du dédain ou de la commisération.

Larsen Frol était installé de l'autre côté du plateau. À voir la place qu'on lui avait assignée, à l'extrême bout d'un canapé, Jenna Fortuni comprenait qu'il occupait toujours une catégorie bien à part. Les animateurs, n'ayant jamais réussi à déterminer si Larsen était plutôt un artiste, un écrivain, une star, un spécialiste, un acrobate, un musicien ou un aventurier, avaient pris l'habitude par précaution de l'inviter n'importe quand et le plus souvent qu'il leur était possible. Il s'agissait de ne pas l'avoir oublié, au cas où un prix Moebel aurait soudain décrété que Larsen Frol avait du génie.

82.

Enfin, le tour de Joeanna Fortunaggi arrivait. L'animatrice aux longues jambes se poussait de côté et au-dessus des deux écrivaines les spots dardaient des feux plus brûlants. L'animatrice annonçait en grande pompe que Joeanna Fortunaggi avaient quelque chose à révéler. Cette révélation bien sûr était cousue de fil blanc, l'apparition ayant été annoncée dans les programmes et les introductions de l'émission. Mais le temps des plateaux étant indéfiniment le présent, les animateurs étaient condamnés à faire semblant de ne pas avoir de mémoire et que tout pour eux était nouveau.

Je crois savoir que vous avez quelque chose à nous annoncer? répétait l'animatrice en se tournant vers Joanna Fortaggi avec un beau sourire, comme si elle voulait l'embrasser. Joanna n'était pas impressionnée. Elle savait que ces sourires étaient indispensables. En effet, répondait-elle: il s'agissait de l'apparition de son nouveau livre.

Il ne fallait pas aller trop vite. L'animatrice coupait la parole à Joanna: un livre que Joanna avait composé en compagnie d'une autre personne...? faisait-elle avec des étincelles sur les yeux et louchant de tout son sourire du côté de Jenna Fortuni, qui était assise à cinq centimètres de Joanna. Eh bien oui, poursuivait encore Joanna Fortaggi tout en se tournant vers Jenna. Elle-même avait coécrit ce livre avec Jenna Fortuni, comme le…

L'animatrice une deuxième fois l'interrompait : Jenna Fortuni, qui constituait avec Joanna la superauteure Joeanna Fortunaggi, c'était bien cela ? s'écriait-elle les yeux ronds, en secouant le menton compulsivement de haut en bas et espérant entraîner Joanna dans ce mouvement. En même temps, elle se poussait complètement de côté pour révéler l'existence de Jenna Fortuni à la caméra, afin que cette dernière n'en rate pas une miette.

Joanna Fortaggi ne pouvait qu'aquiescer et hocher du menton en même temps que l'animatrice. On ne pouvait pas résister à cette attraction. Il existait des animateurs en face desquels il était inévitable de se sentir sans défense. Ils avaient en eux ce talent-là.

Jenna Fortuni de son côté souriait silencieusement. La caméra était sur elle. Jenna prenait tout son temps. La caméra avait besoin de beaucoup lécher, regarder et re-regarder. Jenna se carrait confortablement dans son œil. Cet œil était noir, mais ouvert. On ne voyait pas ce qu'il retenait. Le temps de devant les caméras s'écoulait beaucoup plus lentement. Les minutes hésitaient à poindre. Mais à quoi bon se précipiter ? Jenna savait que son moment n'était pas encore arrivé.

La grande animatrice s'emballait : … Jenna Fortuni et Joanna Fortaggi qui, je le rappelle, était-elle en train de réciter sans même guigner sur ses fiches de paume, ont été appelées sœurs jumelles, petites sœurs littéraires et j'en oublie. On les a comparées aux ailes d'un beau papillon et à présent elles vont faire apparaître pour vous ce soir un nouveau livre. Mesdames et Messieurs, je vous demande d'applaudir le nouveau livre de Joeanna

Fortunaggi !!! s'exclamait l'animatrice triomphante, minée quand même tout au fond d'elle par la crainte que le public, ne l'ayant pas bien suivie, la perde, et de se retrouver toute seule.

Les applaudissements se déclenchaient. Ils étaient renforcés artificiellement, le public présent sur le plateau ayant été jugé un peu mou. Le public était toujours jugé mou. Apparemment, le public rêvé par les producteurs n'avait pas encore été mis au point. L'animatrice, penchée un peu en avant, regardait fixement dans une direction. Jenna et Joanna, qui avaient l'habitude de ces mimiques, comprenaient que c'était de là que leur livre allait arriver. Et de fait, une pimpante jeune fille apparaissait exactement dans le coin que l'animatrice et les caméras avaient fixé. La jeune fille sur ses avant-bras portait une boîte carrée.

La grande animatrice se tournait alors vers Jenna Fortuni et, lui octroyant la permission suprême d'exprimer une émotion, elle lui demandait ce qu'elle ressentait. Ce devait être un moment très émouvant de voir arriver son nouveau livre. Que ressentait Jenna véritablement ? Avait-elle été parcourue de haut en bas par les frissons ? Ressentait-elle une joie immense et une grande fierté à la pensée de ce nouveau livre qui était en train d'apparaître ? Pressée par les questions, Jenna Fortuni choisissait cependant de demeurer mystérieuse. Elle se drapait dans son sourire. Son émotion, expliquait-elle, était difficile à exprimer.

Au même moment, Jenna recevait la boîte carrée des mains de la jeune fille qui arrivait justement devant elle. Pivotant son buste, Jenna à son tour présentait la boîte à Joanna Fortaggi. Joanna sans la prendre en soulevait le couvercle, qui avait été posé de telle façon que tout cela soit un jeu d'enfant.

Jenna, Joanna, l'animatrice et la caméra se penchaient sur l'ouverture de la boîte. Du fait du nombre des observatrices, il était difficile de voir quelque chose. Jenna et Joanna de bonne grâce retiraient leurs têtes, le temps que la caméra fouille la boîte dans toutes ses cachettes. L'intérieur de la boîte s'affichait sur les écrans de contrôle. Il révélait des couches de papier de soie blanc glacé, comme on pouvait en trouver dans les boîtes de chocolats. Considérant ces papiers, la grande animatrice se lançait prématurément dans des prédictions. Elle annonçait que le nouveau livre de Joeanna Fortunaggi serait sûrement soyeux et élégant. Ses deux collègues demeurés à distance renchérissaient: le livre serait blanc et glacé. Il aurait des nuances chocolat. Un des animateurs gardait un œil sur sa montre, afin que l'heure de l'apparition puisse être précisément claironnée.

Ces commentaires achevés, et après une nouvelle salve d'applaudissements, la caméra prenait du champ et Joeanna Fortunaggi étaient autorisées à se lever et à se saisir de leur livre. Joanna Fortaggi plongeait ses mains dans la boîte. Elle déchirait des épaisseurs de papier. À côté d'elle, Jenna Fortuni attendait de pouvoir se saisir aussi de leur ouvrage pour l'offrir à la caméra.

83.

Jusque-là, tout était parfaitement en règle. Tout se déroulait suivant les principes immuables en usage dans les télévisions. Les animateurs, les téléspectateurs, les invités ne savaient pas encore que le monde allait changer. Et comment auraient-ils pu s'en douter? Il n'y avait rien autour d'eux pour le faire savoir. Le changement n'était pas visible. Il était seulement en train d'arriver. Il était en train de surgir de l'intérieur d'une boîte, sous les doigts impatients de Joeanna Fortunaggi qui déchiraient des couches de papier.

Voilà, le changement pointait son nez. Joeanna Fortunaggi avaient découvert le livre. Le serrant dans leurs belles mains, elles le tendaient toutes les deux à la caméra. Et effectivement, le nouveau livre de Joeanna Fortunaggi était tel que les trois animateurs l'avaient prédit: élégant, soyeux, moelleux, blanc, avec peut-être un soupçon de reflets dorés.

À cet instant, selon le plan simple et limpide des deux écrivaines, l'une d'entre elles aurait dû ouvrir le livre, sans même y penser. Il n'y avait rien de plus facile que ce geste-là, elles l'avaient accompli des dizaines de fois. Ensuite, l'une d'entre elles aurait dû se plonger dedans et donner lecture d'une page en direct aux planètes entières.

Mais là, devant les caméras et les nombreux invités, Jenna et Joanna ne pouvaient plus remuer un seul doigt. Elles étaient complètement paralysées. Il semblait qu'elles étaient revenues en arrière. Leur livre était comme les autres. Il gisait dans leurs mains comme un carton blanc et glacé. Il n'était plus sûr qu'il soit plein. Sous le regard des caméras, elles ne retrouvaient plus rien de ce qui avait fait son poids. Leurs mains aussi se sentaient étrangères : elles soutenaient le livre comme un objet dont elles ne savaient pas comment se débarrasser.

Les deux écrivaines, au lieu de rayonner de leurs visages éclatants, restaient sottement muettes et debout, leur livre à présent à moitié caché dans les mains de Joanna, presque dans un pli de sa tunique. Le regard de Joanna restait baissé sur ce pli. Quant au regard de Jenna Fortuni, les caméras ne savaient pas trop où il se trouvait. Sûrement quelque part entre sa paupière et l'extrémité de son pied.

Quel piteux spectacle Jenna et Joanna présentaient là ! Ce n'était pas du tout ce qui aurait dû être. Ce n'était pas du tout ce qui était prévu. Elles auraient dû se trouver présentement toutes les deux en train de feuilleter leur livre devant le monde en délire. Quelles incapables elles pouvaient faire ! Joanna Fortaggi sentait la rage de cet échec bouillonner dans son ventre. Tout en elle était en désordre. Jenna Fortuni n'était pas plus brave : des gouttes de sueur s'étaient mises à jaillir et courir sur son cuir chevelu, comme autant de petites bêtes. Elle n'osait plus bouger, de peur que l'une de ces gouttes ne bondisse sur leur livre. Les pensées dégringolaient dans sa tête. Elle revoyait tout ce qui l'avait amenée à se trouver sur ce plateau en compagnie de Joanna Fortaggi. Elle revoyait leur aventure dans les premiers livres. Elle revoyait leur stupéfaction et leur mal-être à la découverte des compilations. Elle se revoyait avec Joanna à table avec l'éditeur. Puis en compagnie de Radelpha. Radelpha qui s'était révélée être une femme exceptionnelle et commune. Jenna revoyait leur élan de composer leur premier livre. Elle se revoyait imaginer ce moment précis, cette scène, quand les caméras auraient dû filmer Joeanna Fortunaggi en train de montrer et ouvrir leur livre. Un livre qu'elles avaient écrit et qui aurait pu et dû être ouvert. La révolution que ce geste aurait été. Tout ce que Joeanna Fortunaggi auraient amené. Le bonheur et l'air pur, pour toujours, qui auraient jailli. Enfin Jenna se voyait pitoyablement debout, paralysée et aphone, sur ce plateau, devant un set de caméras. Incapable seulement de tendre le bras et d'accomplir son geste sain vers son livre. Ses mains stupides ne pouvaient rien prendre. Et comme Jenna ne tenait même pas le livre dans ses mains, elle avait l'air encore plus gauche que Joanna qui pouvait au moins se raccrocher à cet objet.

À côté d'elle, le corps de Joanna Fortaggi s'était mis à trembloter. Ce n'était pas un gros tremblement, mais il était suffisant pour attirer la pensée sur lui et casser le naturel de ses gestes. Et en ce moment qui aurait dû être d'une simplicité sans pareille et où ses mains auraient dû fendre et écarter le livre avec une grâce aérienne, Joanna se voyait chahutée et prise intérieurement dans une tempête. Ouvrir le livre était impossible.

84.

La tempête qui malmenait Jenna et Joanna était subtile. Les animateurs ne saisissaient rien de ce qui arrivait à leurs invitées. Mais leur silence et leur paralysie commençaient à créer un certain flottement. Les animateurs consultaient leurs fiches.

À ce moment, deux événements survenaient sur le plateau : premièrement, de son coin de canapé, Larsen Frol se mettait à jodler à pleine gorge. Ce chant était à la fois inattendu, charmant, irritant, subjuguant et totalement inapproprié. Larsen expliquait pour les invités qui étaient près de lui qu'il avait découvert cette délicieuse musique de tête et de gosier lors d'un séjour dans les Alpes. Il en était devenu un adepte. Il avait eu tout à coup envie de le partager. Ces déclarations inopinées provoquaient un petit désordre. Les caméras, toujours friandes, mais dépassées, essayaient de foncer sur lui.

Deuxièmement, la grande animatrice qui se trouvait être la plus proche de Joeanna Fortunaggi, comprenant, pour sauver la situation, qu'il fallait ramener l'attention sur le livre, ôtait ce dernier de la main de Joanna Fortaggi. Ce contact n'avait rien d'insolite, mais il survenait d'ordinaire en des endroits codifiés, en fin ou tout début d'émission, pour présenter ou prendre congé d'un écrivain. Joanna ne semblait pas résister. Ses doigts laissaient échapper le livre.

Les caméras voyant cela revenaient en arrière sur l'animatrice, le clair jodle de Larsen Frol n'ayant pas eu d'autre suite. Elles se braquaient sur son bras qui se levait pour présenter le livre à leurs objectifs. En même temps, et comme deux somnambules, Joanna et Jenna faisaient un mouvement imprécis vers leur livre. Elles se précipitaient en quelque sorte au ralenti sur lui. Leurs deux bras se tendaient dans un engourdissement malhabile et le résultat de ces trois mouvements de bras était que le livre, projeté de la main de l'animatrice par le poignet de Joanna, à moins qu'il ne l'ait été par le dos de la main de Jenna, se retrouvait en train de voler calmement dans les airs. Le livre était vu par les caméras en train de tourner. Il était vu tournoyer. Il était vu entrouvert et refermé, s'évasant et se resserrant, et enfin il était vu tomber les quatre fers en l'air sur le dessus lisse et plat d'une table basse.

La vision qui en résultait était embarrassante. Le livre avait chu du mauvais côté. Il s'était écrasé sur son large dos, ce qui était la dernière chose à faire. Le livre gisait, complètement débraillé. Ses entrailles étaient à l'air libre. L'intérieur était exhibé. Et des deux côtés de son cœur ouvert, il était écartelé, offert, blanc et bombé, couvert de petits traits et arrondis et lignes sages intrigants.

La grande animatrice était restée debout près de Joeanna Fortunaggi. Elle avait assisté à la chute du livre sans réagir. Elle l'avait regardé s'échapper de sa main et tournoyer dans les airs. Quand le livre s'était abîmé, elle n'avait pas pu s'empêcher de pousser un ah qui avait été répercuté par son micro. L'animatrice avait ensuite regardé fixement les pages ouvertes, avec un éclat de quelque chose en train de lui passer sur les yeux, que les caméras avaient saisi et tout de suite réverbéré dans le monde. Cet éclat avait été comme une lumière en morceau ou un tesson de miroir. Il avait en tous les cas été rapide. D'une brillance acérée, fulgurante.

La grande animatrice avait ensuite regardé les mains de Joeanna Fortunaggi qui étaient venues au secours de leur livre. Le livre avait été refermé, comme un trésor. Le geste était pudique. Et comme toutes les personnes présentes ou éloignées, l'animatrice en avait été soulagée. Mais le soulagement en elle n'avait pas été intégral. La grande animatrice en effet s'était trouvée être la personne la plus proche du livre écartelé. Celle dont les yeux étaient entrés dans ses pages le plus vite et profondément. Elle avait été le témoin dont la rétine sans le vouloir avait reçu le plus grand nombre de lettres ; dont le cerveau avait dû déchiffrer des mots et assembler bien malgré lui quelques bouts de phrases.

La curiosité de l'animatrice, malgré un sentiment caractéristique de mauvaise conscience, en avait été brutalement secouée. Une foule de questions s'étaient précipitées sur elle, stupidement claires et enfantines : qu'est-ce que Joeanna Fortunaggi avaient mis sur les autres pages ? Y avait-il d'autres phrases ? Quelle était la suite de celles que l'animatrice avait vues dans ce livre ? Et finalement, dans le fond, que mettait-on sur des pages ? Le contenu caché des livres lui sautait tout à coup au visage. L'animatrice était frappée. Comme lorsqu'on se rendait compte soudain qu'on était vivant. On prenait alors une inspiration consciente et profonde. C'était ce que l'animatrice accomplissait.

Voyant que Joeanna Fortunaggi avaient refermé leur livre, l'animatrice croyait qu'elles voulaient le laisser couché, pour toujours clos, sur les tables basses. Ce n'était pas ce qu'elle désirait. Elle avait soif d'en voir plus. Poussée par une force qui surgissait d'une région ignorée, et au mépris de toutes les règles, de tous les usages, de toutes les circulaires et de tous les principes canoniques qui lui avaient été inculqués depuis son enfance, et sans interrompre le flot des mots qui sourdaient avec habitude de ses lèvres, l'animatrice tendait la main et, dans un élan supra-héroïque, et dans le dépassement de toute sa profession, et de tout ce qu'elle avait pu être et de tout ce qui la liait à son existence, elle ouvrait. Le. Livre.

L'ANIMATRICE ÉTAIT EN TRAIN D'OUVRIR LE LIVRE.

Une animatrice, sur un plateau de télévision, ouvrait un livre. Une animatrice, et elle n'était pas novice, et elle n'était pas mauvaise, était en train d'ouvrir un livre en direct. Une animatrice parcourait une page. Et des caméras étaient obligées de retransmettre toute la scène.

C'était bien la première fois qu'on avait cru voir des caméras sursauter. Les caméras avaient semblé reculer. Elles avaient eu comme un micromouvement de défense durant lequel l'image avait insensiblement flanché et trembloté. L'image avait semblé hésiter et balbutier. Elle n'avait plus su si elle devait se reprendre. Enfin, elle s'était reformée bravement, comme une flamme.

Toutes les images étaient indiscutables. Elles montraient que, tout en faisant mine d'interroger ses invitées, l'animatrice s'était mise ingénument à ouvrir le livre à l'aide de ses mains droite et gauche. Pour autant que l'on ait pu en juger, ce geste avait paru lui venir avec naturel. Les ralentis étaient formels : les mains de cette animatrice s'étaient d'abord déposées comme deux hirondelles sur le bord du livre. Ces mains ensuite avaient tout angéliquement soulevé sa couverture d'un, puis deux, puis trois centimètres, créant de ce fait l'espace nécessaire aux trois premiers doigts de sa main droite pour se faufiler tout aussi angéliquement dans le livre. Mais ce n'était pas tout: à la faveur de la fin d'une phrase et du petit rire qui en résultait, les yeux de l'animatrice alors étaient tombés sur les pages et avaient glissé comme malencontreusement dans le livre. Ces yeux n'étaient pas revenus avec un air dégoûté en arrière. Ils avaient au contraire semblé s'attarder un peu trop longtemps.

Cela surtout avait été choquant. Cette désinvolture et cette complaisance. Les invités proches de l'animatrice en avaient eu un haut-le-cœur. Les écrivains confirmés sur le plateau se cachaient les yeux. La plupart des écrivains débutants étaient demeurés stoïques. Mais à l'ouverture du livre, on avait entendu parmi eux des oh et des ah écœurés, semblables à ceux qui étaient poussés lorsque quelqu'un vomissait. Les programmes étaient interrompus. Sur tous les écrans passaient et repassaient les images. Elles montraient le geste. Les caméras en étaient devenues folles, et en Thaïlande un animateur cravaté était déjà en train de copier la nouvelle façon.

85.

Les caméras éprouvant le grand besoin de parcourir et explorer ce nouveau livre, dont l'originalité était qu'il pouvait être ouvert et visité, Jenna Fortuni et Joanna Fortaggi le leur abandonnaient volontiers. Les caméras se jetaient sur lui.

Le livre brillait de tous ses feux. Il était d'un blanc éclatant et immaculé. Au-dessous du nom de ses auteures, un deuxième nom, attirant l'œil, se détachait en lettres de la même grandeur. Il semblait aux personnes qui le déchiffraient que c'était la première fois qu'il était vu sur une couverture. Jenna et Joanna en donnaient l'explication : c'était celui de leur maison d'édition. Celle-ci désormais se nommait : les éditions Delphara.

Sous la couverture, la cinquième page de l'intérieur présentait un texte dense et serré, formé de lignes de très petits caractères se succédant à hauteur égale et courant sur plus de deux cent trente pages. En toute fin du volume, sur la dernière page, huit commandements étaient superposés en pyramide sur la blancheur du papier. Ils disaient :

Les livres sont pleins
Les livres sont adultes
Les livres sont libres
Les livres n'ont pas besoin de chaperons
Les artifices nuisent au livre
Un livre est vivant
Un livre est actif
Un livre est profondément agissant

Au-dessous des commandements, Jenna Fortuni et Joanna Fortaggi avaient rajouté deux phrases. L'une pour remercier leur éditeur. L'autre pour dire qu'elles dédiaient le livre à leurs maris et à tous leurs enfants.

86.

Rentrant chez elle au terme de cette folle soirée, Jenna Fortuni avait hâte de discuter de l'apparition de son livre avec son mari. Tout avait été si prenant que Jenna avait à peine eu le temps de le mettre au courant. Jenna lui avait seulement laissé entendre que Joeanna Fortunaggi avaient toutes les deux abandonné le principe de compilation pour revenir à quelque chose de plus solide. Elle avait prononcé les mots: écriture, lecture, dans le livre, sans entrer davantage dans le détail.

Le mari de Jenna n'avait pas eu l'air fondamentalement surpris. Il n'avait pas voulu plus de précisions. Il avait simplement demandé à Jenna si la composition leur avait pris beaucoup de temps. Jenna avait répondu, et alors Éden Fels n'avait poussé qu'une sorte de bref grognement. Il avait ajouté que ses recherches de ces derniers temps étaient allées à peu près dans le même sens. Il était remonté dans son bureau. Et Jenna, dans la nervosité des jours précédant l'apparition, n'avait ensuite plus trouvé le courage d'aborder ce sujet avec lui.

Jenna refermait la porte de l'appartement. Elle jetait les clés de sa voiture sur le meuble. Elle appelait son mari à travers la pièce. Le silence lui répondait. L'oiseau était déjà en veille. Le mari de Jenna avait jeté le tissu sur sa cage. Jenna gravissait l'escalier intérieur et s'arrêtait devant le bureau de son mari. Elle frappait, plusieurs petits coups. Le silence encore répondait. Éden Fels n'était pas chez lui. Intriguée, Jenna entrouvrait la porte, et pour la première fois depuis très très très longtemps, elle embrassait du regard l'intérieur du bureau de son mari. Les meubles et les étagères étaient toujours à la même place. L'étagère qui s'étendait sur toute la longueur du mur de droite était couverte de boules de papier ou de feuilles empilées dans n'importe quel sens. Le mari de Jenna avait de curieuses méthodes de rangement. De toute manière, Jenna était consciente que toutes ces feuilles ne servaient à rien. Rien qu'à façonner un bureau d'écrivain.

Depuis le seuil du bureau, Jenna notait une multitude de détails qu'elle avait oubliés. Il y avait des croquis aux murs. Ces croquis ne représentaient rien. Le mari de Jenna avait une plante verte. Jenna ne pouvait pas croire qu'il pensait à l'arroser. La plante était poussiéreuse et petite. Pourtant, elle semblait en bonne santé. La dernière feuille du sommet était d'une belle couleur claire. Jenna était frappée par l'odeur caractéristique d'encre fraîche et par la quantité de papier qui avait crû dans le bureau. Les papiers et les feuilles entassés évoquaient par endroits une couronne tressée autour de la table. Le bureau de son mari était comme un nid. Considérant le cuir rouge usé de la chaise, Jenna songeait qu'il faudrait bientôt la remplacer. Le siège portait l'empreinte de deux hémisphères, deux demi-lunes profondément pressées dans le rembourrage : les fesses de son mari. Sur la table, l'écran d'Éden Fels attendait. Un petit voyant qui clignotait disait qu'il était prêt à se remettre incessamment à la tâche. Un stylo sans capuchon était posé à côté de lui. Jenna y découvrait aussi le cristal de roche qu'elle avait cherché partout. Un instant, la photo de Jenna elle-même, sur la table, retenait son regard. Un visage souriant et lisse. La Jenna dans le cadre argenté était lointaine, opaque, mais familière et confiante. De ce côté-là de son visage, on ne pouvait rien deviner. Les yeux et le front limpides savaient parfaitement ensevelir les fourmilières de pensées.

87.

Jenna était en train de redescendre les escaliers quand retentissait le signal de l'alarme. Cette alarme se faisait entendre lorsque le nom de son mari était cité sur les écrans ou quelque part dans le monde. Elle retentissait journellement. Jenna y était habituée. Pour ainsi dire, elle ne l'entendait plus. Mais de retentir alors que le mari de Jenna n'était pas présent donnait à la sonnerie une importance toute spéciale. Elle était soudain dramatique. Poussée par une intuition, Jenna traversait tout droit le salon pour aller chercher son écran dans son sac. L'alarme impérieuse l'y appelait. Elle s'asseyait sur le canapé et posait son écran sur ses genoux. L'écran s'éclaircissait. Sans transition le visage de son mari jaillissait devant Jenna en gros plan. Il occupait toute la place.

C'était la première fois depuis de nombreuses années que Jenna voyait son mari sur un écran. Depuis le soir, en fait, où ce dernier avait commencé cette crise dite « des plateaux ». Jenna avait peine à croire ce qu'elle avait sous les yeux. Son mari dans une émission ! Et ce n'était pas une rediffusion, Jenna reconnaissait sa coupe de cheveux et le veston qu'il portait depuis peu de temps. Le mari de Jenna était mal coiffé, mais il avait l'air dans son élément. Il ne semblait pas éprouver une once d'embarras. Comme si la crise des plateaux ne l'avait jamais touché et comme s'il était revenu exactement en arrière, au soir où, rentrant d'une émission où il n'avait pipé mot, refermant la porte et enlevant son veston, il avait sobrement annoncé : j'ai attrapé l'allergie des plateaux.

Sur l'écran, le mari de Jenna était en train de formuler une réponse, qui devait être malicieuse, car Jenna reconnaissait son petit pli de lèvres en coin qui était la marque chez lui d'un éclat de rire intérieur. Elle approchait de ses yeux son écran. Derrière le cou de son mari, elle apercevait le bord du fameux canapé vert en velours qui donnait son titre célèbre à l'émission. Elle-même s'y était épanchée bien souvent. Son mari n'avait pas choisi la bonne chemise. Jenna regrettait de ne pas avoir pu le conseiller sur ses vêtements. La chemise qu'il portait était froissée. Jenna avait l'impression qu'il était écrit dessus : chemise sale de cinq jours.

L'entretien suivait son cours : Éden Fels, nous savons tous que vous êtes également l'époux de la romancière Jenna Fortuni, articulait l'animateur en lorgnant sur sa fiche de paume. Votre projet de faire lire vos prochains livres est-il influencé d'une quelconque manière par sa démarche et celle de Joanna Fortaggi ? terminait l'animateur tout d'une traite.

Le mari de Jenna souriait plus finement encore. Jenna était crispée. Son mari était capable de manier l'ironie. Le moment était redoutable. Il était toujours périlleux de parler à la télévision d'une personne qui était absente. A fortiori quand il s'agissait de son épouse. Et a fortiori fortiori quand cette épouse était aussi une auteure. Jenna n'avait aucune idée de ce que son mari allait répondre. Allait-il garder des lauriers pour lui ?

Allait-il saluer sa femme ? Éden Fels était quand même le plus fameux auteur pas encore décédé au monde.

L'attente était de courte durée. Le mari de Jenna ne souriait plus. Joignant dans l'air le bout de ses doigts, le buste penché en avant, il articulait des mots qui devaient faire leur entrée immédiate sur les écrans et ne plus jamais en sortir, pour un espace de temps ouvert sur l'infini. Comme l'annonçait l'expression de son visage, les paroles qu'il prononçait étaient graves. Elles étaient substantiellement celles-ci : le geste de Joeanna Fortunaggi d'ouvrir l'accès à leur livre ne constituait pas seulement pour Éden Fels une influence. Elles étaient désormais un modèle. Elles avaient ouvert une voie. Elles avaient créé une inspiration. Grâce à ces deux écrivaines, le mari de Jenna et tous les écrivains et lecteurs vivants avaient retrouvé et rejoint la nature du livre. Sa nature première, authentique. Sa nature véridique, qui était d'être plein, riche, vertical et surtout insondable et profond comme un puits.

Un vent de fraîcheur, avec ces mots, venait flatter tous les visages présents sur le plateau. Un effet comparable à celui d'une fenêtre qui aurait été ouverte. Mais tout le monde savait bien qu'il n'y avait pas de fenêtres dans les studios. L'animateur était électrisé jusqu'au sang. C'était une belle déclaration. C'était une magnifique découverte. Il voulait ajouter des mots pour faire part de son enthousiasme, mais c'était sans compter l'implacabilité du générique qui menaçait de tout recouvrir de son rideau transparent. L'animateur était forcé de s'incliner. Il félicitait et remerciait le mari de Jenna. Dans son élan, il remerciait les techniciens, les téléspectateurs, les stars présentes, le directeur de la chaîne, les maquilleuses, les décorateurs et toutes les personnes sur le globe, tandis que le générique de fin, coulant et débordant comme une nappe, se répandait de haut en bas sur l'écran.

Dans son salon, Jenna Fortuni était assise toute droite sur le canapé. Son écran était toujours sur ses genoux. Elle ne savait pas ce qu'elle devait faire. Elle avait une conscience aiguë et suprasensible de la présence de toutes les choses qui étaient posées autour d'elle. Tous ces meubles qui l'entouraient. Ces objets lui apparaissaient particulièrement immobiles. Leur existence était arrêtée et suspendue. Jenna était frappée par leur poids et leur immuabilité. Non, Jenna ne savait pas quoi faire. Elle ne savait pas comment elle devait se comporter. Elle ne savait pas à l'avenir ce qu'elle allait être. Au bout d'un moment, se relâchant, elle poussa enfin un léger soupir. Son écran au même instant se mit à crépiter. Il vibrait et tintinnabulait, sans discontinuer.

Achevé d'imprimer
en août deux mille quatorze
sur les presses de L.E.G.O. à Lavis, Italie,
pour le compte des Éditions Zoé
Composition Atelier Françoise Ujhazi, Genève